MR. SILLY
gets t...

Original concep...
Illustrated and written by Adam Hargreaves

MR. MEN   LITTLE MISS

World International

Mr Silly lives in a place called Nonsenseland where the grass is blue and the trees are red. Which you already know.

It is also a place where zebra crossings are spotty. Which you probably did not know.

In Nonsenseland you post letters in telephone boxes and you make phone calls from letter-boxes.

And in Nonsenseland the umbrellas all have holes in them so that you know when it has stopped raining.

Which is utter nonsense, but not if your name is Mr Silly.

Now, one morning last week, Mr Silly got up and put on his hat, brushed his teeth with soap, as usual, polished his shoes with toothpaste, as usual, and went down to breakfast.

For breakfast, Mr Silly had fried eggs and custard, as usual, and a cup of hot, milky marmalade, as usual.

After breakfast he went out into his garden. The day before, Mr Silly had bought a tree, but as he looked at the tree he realised that he did not have a hole to plant it in.

So he went to the hardware shop.

"Good morning," said Mr Silly. "I would like to buy a hole."

"Sorry," said the sales assistant, "we're all out of holes. Sold the last one yesterday."

"Bother," said Mr Silly.

He decided there was nothing for it but to go in search of a hole.

He walked and he walked and he walked.

Eventually Mr Silly stopped walking and looked down at his feet.

"That's odd," he said, "this grass is green."

"Of course it is," said a voice behind him.

"Grass is always green."

"Who are you?" asked Mr Silly.

"Little Miss Wise."

"I'm Mr Silly. Could you tell me where I am?"

"You're in Sensibleland," said Miss Wise.

Mr Silly had walked so far that he had walked right out of Nonsenseland.

"I'm looking for a hardware shop," said Mr Silly. "Can you help?"

"Certainly," said Miss Wise. "Follow me."

As they walked along Mr Silly looked about him.

He had never seen anywhere like it. The grass was green, the trees were green, even the hedges were green.

They came to a zebra crossing. A stripey zebra crossing.

Mr Silly chuckled, and then he giggled and then he laughed out loud.

"Why are you laughing?" asked Miss Wise.

"The ... hee hee ... zebra crossing ... ha ha ... is stripey," laughed Mr Silly.

"What else would a zebra crossing be?" said Miss Wise.

"Spotty, of course!" said Mr Silly, wiping the tears from his eyes.

"How silly," said Miss Wise.

They set off again and the further they went the more Mr Silly laughed.

He laughed when he saw someone posting a letter in a letter-box.

He laughed when he saw someone using a phone in a telephone box.

And he laughed when he saw an umbrella without holes in it.

Eventually, they came to Miss Bolt's Hardware Shop.

"Good afternoon," said Mr Silly. "I would like to buy a hole."

"A hole?" questioned Miss Bolt.

"Yes, big enough to plant a tree in," explained Mr Silly.

Miss Bolt sniggered.

Miss Wise chortled.

And then they burst out laughing.

"I've never heard anything so absurd," laughed Miss Bolt.

"But I do have something that may help."

That evening Mr Silly invited his friend Mr Nonsense for supper and told him all about his day in Sensibleland.

Mr Nonsense laughed so hard he fell off his chair!

" ... and then," continued Mr Silly, "Miss Bolt gave me a spade. A spade! Why in the world would I want to buy a spade when all I wanted was a hole!"

"Hee hee ... that's ... ha ha ... ridiculous!" laughed Mr Nonsense.

"What's for pudding?"

"Spam roly poly," answered Mr Silly.

"Oh goody," said Mr Nonsense. "My favourite!"

Join the
MR.MEN & *little miss*
Club

Treat your child to membership of the popular Mr Men & Little Miss Club and see their delight when they receive a personal letter from Mr Happy and Little Miss Giggles, a club badge with their name on, and a superb Welcome Pack. And imagine how thrilled they'll be to receive a birthday card and Christmas card from the Mr Men and Little Misses!

Take a look at all of the great things in the Welcome Pack,  every one of them of superb quality (see box right). If it were on sale in the shops, the Pack alone would cost around £12.00. But a year's membership, including all of the other Club benefits, costs just £8.99 (plus 70p postage) with a 14 day money-back guarantee if you're not delighted.

To enrol your child please send your name, address and telephone number together with your child's full name, date of birth and address (including postcode) and a cheque or postal order for £9.69 (payable to Mr Men & Little Miss Club) to: Mr Happy, Happyland (Dept. WI), PO Box 142, Horsham RH13 5FJ. Or call 01403 242727 to pay by credit card.

Please note: Welcome Pack contents may change from time to time. All communications (except the Welcome Pack) will be via parents/guardians. After 30/6/97 please call to check that the price is still valid. Allow 28 days for delivery. Promoter: Robell Media Promotions Limited, registered in England no. 2852153. Your details will be held on computer and may from time to time be made available to reputable companies who we feel have offers of interest to you - please inform us if you do not wish to receive such offers.

The Welcome Pack:
✓ Membership card
✓ Personalized badge
✓ Club members' cassette with Mr Men stories and songs
✓ Copy of Mr Men magazine
✓ Mr Men sticker book
✓ Tiny Mr Men flock figure
✓ Mr Men notebook
✓ Mr Men bendy pen
✓ Mr Men eraser
✓ Mr Men book mark
✓ Mr Men key ring

Plus:
✓ Birthday card
✓ Christmas card
✓ Exclusive offers
✓ Easy way to order Mr Men & Little Miss merchandise

All for just £8·99! (plus 70p postage)

MORE SPECIAL OFFERS
FOR MR MEN AND LITTLE MISS READERS

In every Mr Men and Little Miss book like this one, <u>and now</u> in the Mr Men
sticker and activity books, you will find a special token. Collect six tokens and we
will send you a gift of your choice
Choose either a <u>Mr Men</u> or <u>Little Miss</u> poster, **or** a Mr Men or Little Miss
double sided full colour bedroom door hanger.

Return this page **with six tokens per gift required** to:
Marketing Dept., MM / LM, World International Ltd.,
PO Box 7, Manchester, M19 2HD

Your name:_____ Age: _____

Address: _____

_____

_____Postcode: _____

Parent / Guardian Name (Please Print)_____

Please tape a 20p coin to your request to cover part post and package cost

I enclose <u>six</u> tokens per gift, and 20p please send me:-

<u>Posters:-</u>   Mr Men Poster   ☐ Little Miss Poster   ☐

<u>Door Hangers</u> - Mr Nosey / Muddle ☐   Mr Greedy / Lazy   ☐

Mr Tickle / Grumpy ☐   Mr Slow / Busy   ☐

20p   Mr Messy / Quiet ☐   Mr Perfect / Forgetful ☐

L Miss Fun / Late ☐   L Miss Helpful / Tidy ☐

L Miss Busy / Brainy ☐   L Miss Star / Fun   ☐

Stick 20p here please

We may occasionally wish to advise you of other Mr Men gifts.   ☐
If you would rather we didn't please tick this box

Please Tick Appropriate Box

— 100 mm —

ENTRANCE FEE
3 SAUSAGES

250 mm

MR.GREEDY

Collect six of these tokens
You will find one inside ever
Mr Men and Little Miss book
which has this special offer.

1
TOKEN

Offer open to residents of UK, Channel Isles and Ireland

10649775

Günter de Bruyn
Märkische Forschungen

Günter de Bruyn

Märkische Forschungen

Erzählung für Freunde
der Literaturgeschichte

Mitteldeutscher Verlag
Halle · Leipzig

Vorspiel im Theater

Das Theater ist bis auf den letzten Platz besetzt, was aber wenig besagt, denn es ist das kleinste der Hauptstadt, mehr Theaterzimmer als -saal. Kein Stück wird gespielt, ein Vortrag wird gehalten, der erste der Reihe »Vergessene Dichter – neu entdeckt«.

Der Referent müht sich mit den Schlußfloskeln ab. Der zweite Mann auf der Bühne, der einleitende Worte sprach, macht sich bereit, Dank- und Abschiedsworte zu sprechen. Schon löst er den Rücken von der Sessellehne, richtet sich sitzend auf, wendet sein Gesicht vom Referenten ab und dem Publikum zu, lächelt – und erhebt sich, um, schnell und witzig, mit seinen Schlußsätzen dem Beifall zuvorzukommen, der dann heftig losbricht.

Man klatscht lange. Auch die eiligen Zuschauer, die ihre Garderobenmarken schon in der Hand haben, wagen noch nicht zu gehen. Der Referent lächelt einige Sekunden krampfhaft ins Publikum, deutet sitzend eine Verbeugung an und beginnt mit nervösen Bewegungen seine Papiere zu ordnen. Aber der andere, der, dem Referenten zugewandt, mit weitausholenden Armbewegungen mitgeklatscht hat, eilt jetzt zu ihm hin, nimmt mit beiden Händen seinen Arm und zieht ihn nach vorn bis zur Rampe, wo er ihn stehen läßt, um von der Bühnenecke her, immer wieder mit ausgestrecktem Arm auf ihn deutend, sein Klatschen fortzusetzen. Der Referent verbeugt sich einmal, zweimal, sucht dann nach Fluchtmöglichkeiten, wird von dem an-

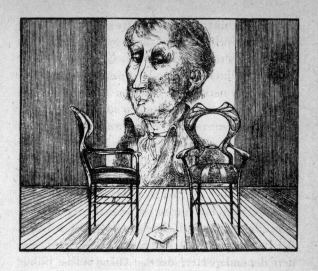

deren aber wieder gefaßt. Arm in Arm mit ihm
steigt er in den Zuschauerraum hinunter. Auf der
Bühne stehen nur noch die beiden Sessel, Empire,
rot und golden. Requisit jener Zeit, von der zwei
Stunden lang die Rede war. Der Beifall schwillt an,
als auf die Rückwand des Bühnenraums das Bild
des einst vergessenen und nun wiederentdeckten
Dichters projiziert wird, das Porträt, das einmal
die Lesebücher unserer Enkel schmücken wird: das
lange, schmale Gesicht über dem Spitzenjabot, die
hohe Stirn, die sich fast bis zur Mitte des Hauptes
weitet, das spärliche Blondhaar, der kleine Mund,
von dessen Ecken sich strenge Linien zu den Nasen-
flügeln ziehen, die großen Augen.

Was geschieht, wenn der Beifall verebbt, meint
jeder, der Vortrags-, Rezitations- oder Dichter-

lesungsabschlüsse kennt, zu wissen: Die Masse der Besucher verläßt mehr oder weniger eilig den Raum und drängelt sich an der Garderobe, einige besonders Interessierte oder Prominentensüchtige aber gehen nach vorn, um dem Referenten noch Fragen zu stellen, Meinungen anzubringen oder Lobsprüche zu spenden. So erwartet man das auch hier – und irrt sich. Zwar staut die Menge sich wirklich an den Ausgängen, eilt zur Garderobe, zwar streben zwölf bis fünfzehn Leute tatsächlich der Bühne zu, aber ihr Ziel ist nicht der Referent mit den tiefliegenden Augen im schmalen Grüblergesicht (ihn lassen sie vielmehr unbeachtet zwischen der Bühne und der ersten Stuhlreihe stehen), sondern der andere Herr, der den Abend auf der Bühne verbrachte, vorwiegend schweigend, aufmerksam lauschend, der nur einige wenige, allerdings geistreiche, Worte sprach und dessen Gesicht nicht schmal ist, sondern rund und gesund.

Diesem also strebt man zielbewußt zu, erwartungsvoll oder beflissen lächelnd die einen, ernst, ehrfürchtig oder schüchtern die anderen. Ihm strekken sich Hände entgegen, er wird beglückwünscht, für seine Ohren sind die Worte des Lobs, des Danks, der Überraschung, des Entzückens bestimmt, ihm stellt man die Fragen, seiner Meinung wird die eigne entgegengesetzt.

Er antwortet jedem, dankt, wehrt ab, widerspricht, erklärt, alles mit der lauten, volltönenden Stimme des Mannes, der Öffentlichkeit liebt und gewohnt ist. Man schart sich um ihn. Auch die

Schüchternen wagen nun ihre Bemerkung. Man lacht. Ein Bildreporter erklimmt die Bühne und fotografiert die Gruppe von oben. Als der Gefeierte dessen gewahr wird, winkt er ab, hebt sich auf Zehenspitzen, sieht umher, bahnt sich einen Weg durch den Kreis der Verehrer. Er sucht den Referenten, findet ihn noch an der Garderobe, holt ihn zurück.

Jetzt werden beide fotografiert, vor der Bühne und auf ihr, stehend und sitzend. In der Funk- und Fernsehzeitung der kommenden Woche wird aber nur das Bild des einen zu sehen sein: Der durch seine Sendereihe »Unsere Geschichte und wir« bekannte Professor Dr. Menzel stellt sich den Fragen seiner Zuschauer. So oder so ähnlich wird die Bildunterschrift lauten.

1. Kapitel
Begegnung im Walde

An einem Januartag begegneten sich Winfried Menzel und Ernst Pötsch auf dem wenig befahrenen Weg zwischen Liepros und Schwedenow zum ersten Mal. Die bewaldeten Höhen, von deren Sandboden der seit den Weihnachtstagen andauernde Regen willig aufgesogen worden war, hatte Menzel ohne Schwierigkeiten passiert, in der in den Torfsee auslaufenden Niederung aber, wo die Abflußgräben über die Ufer getreten waren, die Wiesen überschwemmt und auch den Weg überflutet hatten, war die Autotour zu einem vorläufigen Ende gekommen. Trotz der Warnungen seiner Frau, der Umkehr angebracht erschienen war, hatte Menzel, unter Ausnutzung des linken, erhöhten Wiesenrains, die ausgedehnte Pfütze zu durchfahren versucht, war aber links in dem schwarzen, von Forstfahrzeugen in Morast verwandelten Boden steckengeblieben. Versuche, durch Rückwärtsfahrt wieder festen Boden zu gewinnen, hatten die Räder noch tiefer in den Schlamm getrieben, bis schließlich der Wagenboden auf dem Rain aufgelegen hatte und jede weitere Bemühung sinnlos geworden war. Der Ironie, mit der Frau Menzel das fahrtechnische Können des Mannes gelobt hatte, hätte es nicht bedurft, um die Stimmung zwischen den Eheleuten gereizt zu machen. Da aber beide auf Situationen dieser Art trainiert waren, hatte sich die Aggressivität in dem schrägliegenden Auto nur indirekt entladen, bei der Behandlung der Frage nämlich, wer mit seinem städtisch-feinen Schuhwerk den Wagen verlassen und durch Wasser und Schlamm nach dem drei Kilometer entfernten Schwedenow zurückgehen und Hilfe holen sollte. Scheinobjektive Gründe hatte es für beide Varianten gegeben, und da, wenn es um Menge und Güte von Argumenten ging, Menzel immer der Findigere war, wären wohl eher ihre als seine Füße naß geworden, wenn nicht in diesem Moment die Begegnung erfolgt wäre, auf die es hier ankommt: Pötsch radelte heran.

Was eine Freundschaft werden sollte, begann mit

hastigem Herabdrehen des Autofensters, mit Hallo-Ruf, mit schwerfälligem Abstieg vom Rad, vorsichtigem Nähertreten in Gummistiefeln, mit Nicken zu den Redeschwällen der Frau, mit Gutachterblick zwischen die Autoräder hindurch – dann schob Pötsch, des Wassers nicht achtend, sein Rad weiter, über die Brücke, die Anhöhe hinauf, das Ehepaar aber blieb im Warmen, rauchte, wartete, beobachtete besorgt die Verringerung des Abstands zwischen rechter Wagentür und Wasserspiegel und stritt darüber, ob das Tiefersinken des Autos oder das Steigen des Hochwassers Ursache dafür war. Es regnete ohne Unterbrechung.

Als die Dämmerung sich zur Dunkelheit zu verdichten begann und das Wasser die Türöffnung erreichte, lärmte ein Trecker heran, auf dem, hinter dem mißmutigen Fahrer, Pötsch stand, der dann auch das Zugseil einhakte und, als das Auto wieder festen Boden unter sich hatte, die Geldforderung des Traktoristen vorbrachte, die Menzel mäßig fand, den dreifachen Betrag aus dem Fenster reichte und dazu sagte, Pötsch möge sich das mit dem Fahrer teilen – was ihn später beschämte. Denn Pötsch reichte die Scheine, ohne sie anzusehen, dem Traktoristen (der übrigens sein Bruder war) hinauf, hob zur Andeutung eines Abschiedsgrußes die Hand und wollte wieder das Treckergestänge erklettern, als ein erneutes Hallo ihn zurückrief.

Menzel hatte noch eine Frage, und die Antwort darauf enthielt das Stichwort, das die beiden zusammenführte. Ob, bevor er in Liepros die Chaussee erreichte, noch weitere Gefahrenstellen zu passieren wären, wollte Menzel wissen, und Pötsch antwortete darauf, ja, kurz vor dem Dorf, wo der Wald sich zur Spreeniederung senke und die Kreuzung dreier Wege vor dem verschilften Flußarm eine Art Platz, Dreiulmen genannt, bilde, müsse er sich dicht am Wald halten, um erneutem Schlammbad zu entgehen.

»Dreiulmen?« fragte Menzel darauf. »So heißt das noch immer? Steht auch vielleicht das Armenhaus noch?«

»Sie kennen die Gegend?«

»Nur aus Büchern.«

»Aus Büchern?«

»Aus denen Max Schwedenows.«

Da öffnete Pötsch, dessen Gesichtsbildung und Gebaren ihn als einen Menschen auswiesen, der dreimal gebeten werden muß, ehe er es wagt, eine Bequemlichkeit für sich in Anspruch zu nehmen, ohne Aufforderung die hintere Wagentür, setzte (Frau Menzel stockte der Atem) seine schlammverschmierten Gummistiefel auf den Teppichboden, ließ sich, vor Nässe triefend, in die Polster fallen und sagte, fassungslos vor Überraschung:

»Sie kennen Max von Schwedenow? Dann sind Sie vielleicht Professor Menzel?«

11

2. Kapitel

Der Vergessene

Daß diese Frage nur zustimmend beantwortet werden konnte, ist dem Leser klar. Ja, es war Professor Menzel, der sich da, mit Frau, durch märkischen Sumpf und Sand bewegte und fast ein Opfer unbewältigter Naturkräfte geworden war. Auch der Fahrradbenutzer, der das Ehepaar aus der feuchten Bewegungslosigkeit befreite, ist schon bekannt. Wer aber, wird der Leser fragen, ist der Dritte, der hier zwar mit Namen genannt, aber nie in Person vorgeführt werden kann, dieser Bücherschreiber von, wie es scheint, etwas unsicherem Adel, dieser Max von (oder auch nicht von) Schwedenow?

Beste (für Zwecke dieses Berichts sicher zu ausführliche) Auskunft über ihn könnten die beiden geben, die ihren Freundschaftsbund in seinem Namen schlossen und die nie müde wurden, über ihn zu reden. Doch nutzt es wenig, ihren Gesprächen über ihn zu lauschen, weil sie, jeder beim anderen, (mit Recht) das Wissen voraussetzen, das dem Leser fehlt, das primitivste und fundamentalste, das Schulwissen, die Lexikonweisheit, die aber vorläufig schwer zu finden ist, weil nämlich gängige Konversations-, Schriftsteller- und Gelehrtenlexika, Handbücher der Geschichtswissenschaft und Literaturgeschichten seinen Namen nicht verzeichnen und auch die Allgemeine Deutsche Biographie von ihm nichts weiß – weshalb es also sich empfiehlt, die kurze Autofahrt der drei vom Torfsee bis nach

Liepros (auf der sich nichts ereignete als Gespräche, die Uneingeweihte nicht verstehen) zu einer Kurzinformation zu nutzen, die nachgeborene Leser nicht mehr nötig haben werden, weil schon die Elementarschule sie ihnen geliefert haben wird, mit Bild im Lese- oder im Geschichtsbuch: ein Porträt in Öl von unbekannter Hand, aus dem ein schlecht genährter junger Mann mit Kinderaugen ernst und streng auf den Betrachter blickt.

Max Schwedenow, geboren 1770, gestorben 1813, fortschrittlicher Historiker und revolutionärer Dichter, wird aller Voraussicht nach darunter stehen und damit schon alles liefern, was vorläufig gebraucht wird, um zu begreifen, worauf sich die Freundschaft, die sich auf dunklem Waldweg anbahnte, gründete: auf einen Gegenstand der Forschung und der Interpretation, zu dem die zwei auf sehr verschiedenen Wegen gelangt waren.

In einem Radio-Interview danach befragt, hatte sich Professor Menzel kürzlich erst dazu geäußert. Das bekannte, die kulturelle Erbschaft betreffende Goethe-Zitat (das er sicher deklamieren konnte) hatte er zum Ausgangspunkt genommen, es erst bedeutungsvoll, wegweisend, gültig über seine Zeit hinaus genannt, sich aber dann gefragt, ob es denn alles zu diesem Problemkreis gehörige auch erfasse, und diese Frage, sich selbst antwortend, kühn verneint. Das Erbe der Kultur, das zu erwerben uns aufgegeben, sei mehr als das, was wir von unseren Vätern erbten: das von ihnen verschmähte, verschleuderte oder vergessene nämlich auch. Denn was bei Goethe hier umschreibend Väter hieße, das sei für uns doch wohl die Bourgeoisie, die zwar ihre Profitmacherei kulturell zu drapieren, nicht aber progressive Traditionen zu pflegen willens gewesen sei. Früh, schon als Student, sei die Erkenntnis, daß die Landkarte der Vergangenheit noch weiße Flekken habe, die zu entdecken nötig sei, in ihm gereift und habe ihn befähigt, systematisch und konsequent auf seinem Fachgebiet (er sei, wie allgemein bekannt, Historiker) nach zu Unrecht, aber nicht zufällig, Vergessenen zu forschen. Durch einen versteckten Hinweis Mehrings sei er auf Schwedenow gestoßen. Daß dieser sich auch als exorbitant bedeutender Dichter erwiesen habe, sei seinen individuellen Neigungen entgegengekommen. Bald würde er über diesen Vertreter deutschen revolutionären Demokratismus sein Buch, Produkt jahrelanger Studien, der Öffentlichkeit präsentieren. Der von ihm gewählte Titel: »Ein märkischer Jakobiner« mache die Bemerkung eigentlich überflüssig, daß durch diese Neuentdeckung dem reichen Schatz revolutionärer Traditionen ein Edelstein von besonderer Leuchtkraft hinzugefügt würde. »Denn in Max Schwedenows historischem und literarischem Werk«, so hatte Professor Menzel seine Ausführungen geschlossen, »wurde die fulminanteste Antwort gegeben auf die Frage, die der Sturm auf die Bastille auch an Deutschland gestellt hatte.«

Von dieser Systematik, dieser Konsequenz, von diesem Blick aufs Allgemeine auch, mit dem man große Aufgaben sieht, um sie in seinem Einzel-

gebiet zu erfüllen, war bei Ernst Pötsch die Rede
nicht, als Menzel ihn (wir greifen damit vor in eine
Zeit, in der die beiden Freunde schon auf du und
du verkehrten) nach seinem Weg zu Schwedenow
mal fragte. Da war, nach langem Zögern, langem
Überlegen, nach dem Versuch, die Frage mit der
Bemerkung: Durch Zufall! abzutun, schließlich von
nichts als von ihm selbst die Rede, von seinen Gefühlen, seinen Vorlieben, seinen Interessen, von
einer Liebschaft auch, aus der nichts wurde, von
seinem Unterricht, den durch Ortsgeschichtliches
aufzulockern er bestrebt war oder dies zumindest
vorgab, um Grund zu haben, das Studium der
Kirchenbücher dem seiner Lehrbücher vorzuzie-
hen, wenn beispielsweise eine in Schwedenow-Brie-
fen erwähnte Lieproserin namens Dorette doku-
mentarisch zu belegen ihm wichtig schien.

Wie immer, wenn Pötsch von sich selbst reden
sollte, geriet ihm alles durcheinander, und Menzel
hatte nicht Geduld genug zu folgen, entschied also:
»Du kamst zu M. S. durch das Lokale«, und hatte,
in Teilen wenigstens, damit durchaus Richtiges getroffen.

Denn Pötsch liebte, was ihm nah war, und nahm
es dadurch in Besitz, daß er es so genau wie möglich kennenlernte. Stand Menzel gleichsam auf
einem Aussichtsturm und schaute durch ein Fern-
rohr in die Weite, so Pötsch, mit Lupe auf platter
Erde, wo jede Hecke ihm den Blick verstellte. Sein
Wissen war begrenzt, doch innerhalb der Grenzen
universal. Er hatte kein ausgeprägtes Interesse für

Botanik, doch die Kiefern, die das Dorf umstanden, interessierten ihn bis hin zu der Struktur des Holzes. Bautechnik war sein Fach nicht, aber wie man vor 150 Jahren, als das Haus, in dem er wohnte, gebaut wurde, die Feldsteine gespalten hatte, um glatte Außenwände zu bekommen, wollte er wissen. Das Ausheben einer Baugrube regte ihn zu geologischen Studien an, ein Gespräch mit Landvermessern zu mathematischen. Jede Fahrt in eine andere Gegend wurde eine des Vergleichs, und der schönste Teil der Reise war die Heimkehr. Er war kein kühner Denker, aber ein genauer, Fanatiker des Details, Polyhistor des Vertrauten. Daß Max von Schwedenow in Schwedenow geboren war, war Grund genug, sich mit ihm zu beschäftigen. Daß Liepros Handlungsort seiner Romane war, genügte, um sie ihm lieb und wert zu machen.

Menzel hatte recht: Lokalgeschichtliches war durchaus eine Quelle des Stroms der Schwedenow-Besessenheit, die nie versiegte, aber doch nur eine. Die andere war: Pötsch fühlte sich dem Mann verwandt. In Schwedenows Dichtung fand er sich selbst. Seine Gefühle waren dort formuliert, seine Sehnsüchte beschrieben, seine Gedanken vorgedacht. Pötsch sah in Schwedenows Romane und Gedichte wie in einen Spiegel – und war von sich entzückt.

Man sollte ihm das gönnen, es aber nicht, wie er es tat, ein Wunder nennen, schon deshalb nicht, weil sicher manches, was er in der Dichtung von sich zu finden meinte, erst durch sie in ihn hineingekommen war. Wer will entscheiden, ob wir lieben, was uns ähnlich ist, oder ob wir dem ähnlich werden, was wir lieben?

Menzel hegte lange den Verdacht, daß, wäre der berühmte Ludwig Leichhardt nicht im 10 Kilometer entfernten Trebatsch, sondern in Liepros oder Schwedenow geboren, Pötsch sich auf Australien-Forschung spezialisiert hätte. Pötsch nahm die Frage ernst, als Menzel sie ihm stellte, und überlegte lange, ehe er verneinte: Er nahm es Leichhardt übel, daß weder in den »Beiträgen zur Geologie Australiens« noch im »Journal der Expedition von der Moreton-Bay nach Port Essington« von Trebatsch oder der Oberspree die Rede ist.

3. Kapitel
Die Prüfung

An der Dreiulmen genannten Stelle, wo die von Arndtsdorf, Schwedenow und Görtz herkommenden Waldwege sich zu einem vereinigen, stand, wie alte Meßtischblätter ausweisen, noch zu Anfang unseres Jahrhunderts das Lieproser Armenhaus, in dem (als es noch keines war) von 1804 bis 1810 der dem Leser schon bekannte Historiker, Romancier und Lyriker gelebt und dort seine wichtigsten Spätwerke verfaßt hatte: die dreibändigen »Denkwürdigkeiten der Koalitionsfeldzüge bis zum Baseler Frieden«, die Kampfschrift »Der Friedensbund«, den Gedichtband »Verwelkter Frühlings-

17

kranz« und die Romane »Barfus«, »Rusticus« und die »Geschichte Emils des Deutschen«. Die Ulmen (»fröhlich drängt ihr, ihr Starken, aus kräftigen Wurzeln hinauf in die Freiheit des Äthers«, heißt es in dem Gedicht »Mein Heim« über sie) hatten schon zu Zeiten Franz Roberts, des ersten Schwedenow-Forschers nicht mehr gestanden, das Haus, das nie eine Gedenktafel geziert hatte, war nach dem ersten Weltkrieg, als das Dorf sich bis an den Spreearm ausgedehnt hatte, zu Bauzwecken abgerissen worden. Um das Fundament zu finden, hatte Pötsch graben müssen.

In Dunkeln stand er mit Menzel zwischen den Kiefern und erklärte die Aussicht, die man vor 170 Jahren, als die Hänge noch waldfrei gewesen waren, gehabt haben mußte, wenn man aus der Tür trat: in der Mitte das Dorf, unter Linden versteckt, links der Krautsee, zu dem der damals noch schiffbare Flußarm sich erweiterte, rechts das Schloß auf der von Spree, Spreearm und Burggra-

ben gebildeten Insel. Das Armenhaus übrigens (der Ziegelform nach zu urteilen vor 1730 gebaut) entsprach in Maßen und vermutlichem Äußeren genau dem im »Emil« beschriebenen. Sogar Reste der Geißblattlaube, in der das entscheidende Gespräch Emils mit seinem Vater stattfand, glaubte Pötsch entdeckt zu haben.

Er konnte fließend und anschaulich reden, wenn es um Details ging, und er vollbrachte das Wunder (ohne freilich zu wissen, daß es eins war), den Professor zum schweigenden Zuhörer zu machen.

Menzels Interesse war groß, größer allerdings seine Angst vor Erkältung. Schon spürte er auf den Schultern die Nässe, und da seine Frau, die im Auto geblieben war, in Minutenabständen die Hupe betätigte, drängte er bald zum Aufbruch.

Minuten später hielten sie auf der breiten Allee inmitten des Dorfes, wo im Schein spärlicher Straßenbeleuchtung die Umrisse von Pfarrhaus, Kirche und altem Herrenhaus durch beschlagene Scheiben bewundert werden konnten. Genau an dieser Stelle, so erläuterte Pötsch, sprang der junge Graf Barfus aus der Kutsche, als er aus Frankreich heimkehrte und das Schloß in Flammen stand. Und an dieser Linde dort rechts mußte der 20jährige Max im Finstern gelehnt haben, wenn er von Schwedenow herübergeschlichen war, um wenigstens den Schatten Dorettes am Fenster des Pfarrhauses sehen zu können. Den Fußpfad aber zum Trebatscher Wäldchen, wo Dorette sich ihm mit den Worten »Nun bin ich ganz dein und auf ewig« anverlobt hatte, gab es nicht mehr; dort vorn, wo der neue Laden jetzt stand, mußte er abgezweigt sein. Das Wäldchen war erst kürzlich dem Bau eines Silos gewichen.

Nach jahrelangen Studien auf einen Menschen getroffen zu sein, der deren Gegenstände so genau wie man selbst kannte, war für Menzel und Pötsch gleichermaßen ein denkwürdiges Ereignis, vergleichbar der Freude des Reisenden, der, sprachunkundig, in der Fremde einem Landsmann begegnet, der ihn versteht, mit dem er reden kann, als sei er zu Hause, der auch Untertöne begreift, bei dem jeder Witz, jede Anspielung ankommt.

Sie redeten über Max und Dorette, über Graf Barfus, über Emil und den Obristen wie über gemeinsame intime Bekannte, beschworen (in Andeutungen nur, mehr war nicht nötig) Gespräche, Abenteuer, Gesten und Mienenspiele in einem Ton herauf, als tauschten sie eigne bewahrenswerte Erinnerungen aus. Gedichtzeilen wurden von einem begonnen, vom andern triumphierend beendet. Der Forschung offen gebliebene Fragen wurden gestellt, und die Meinungen dazu kurz umrissen. War er, wie die Pariser Tagebuchnotiz vermuten ließ, Robespierre tatsächlich begegnet? War mit der »Hohen Frau« die Gräfin Liepros oder vielleicht die Königin Luise gemeint? Wo waren die letzten Tagebücher geblieben? Wer war der Freund, der die Briefe des Nachlasses herausgab? Wann genau war der Verehrte gestorben, wo begraben?

Die Freude an diesen Gesprächen war beiden

gemeinsam, verschiedenartig aber waren die Antriebe dazu. Während sich bei Pötsch nur angestautes Mitteilungsbedürfnis frei machte, waren bei Menzel vom ersten Moment an Zwecke wirksam. Das scheinbare Redechaos wurde von ihm unauffällig gelenkt. Die Fragen, die er aufwarf, ohne sie direkt an Pötsch zu stellen, waren Prüfungsfragen. Er testete den potenziellen Bundesgenossen. Und dieser bestand, wenn auch nicht auf allen Gebieten gleichmäßig, so doch im ganzen glänzend. Die Erwähnung selbst drittrangiger Nebenfiguren machte keine Erklärung nötig, jede Jahreszahl, jeder Handlungsort wurde richtig zugeordnet, auch sozialgeschichtliches und politisches Wissen war immer parat. Schwächen zeigten sich bei Pötsch nur, wenn es um Geschichtsschreibung, Philosophie und außerdeutsche Literatur ging. Biographische Details dagegen und deren Widerspiegelung im Werk beherrschte der Prüfling besser als der Prüfer. Doch das übersah der Professor.

»Nein, ein andermal!« Das sagte die Frau, ungefragt, anstelle des Mannes, der lächelnd die Achseln zuckte. Pötsch, maßlos in seiner Begeisterung und durch sie unfähig gemacht, die Stimmungslage Frau Menzels zu erkennen, hatte noch die Besichtigung des Schlosses vorgeschlagen, das nur zu Fuß über den Wirtschaftshof des ehemaligen Guts zu erreichen war. Auch sein Hinweis auf die Kürze des Wegs (es waren nur etwa 200 Meter) konnte die Frau nicht zur Meinungsänderung bewegen. Die Vorstellung der Dreckmenge, die Profilsohlen von Gummistiefeln aufzunehmen und im Auto (dessen Reinigung ihre Sache war) abzugeben vermochten, wie auch ihr Abendbrotshunger hätten allein schon genügt, sie unnachgiebig auf Heimfahrt bestehen zu lassen; hinzu kam aber noch, daß sie sich vernachlässigt fühlte – völlig mit Recht.

Zwar war sie es gewöhnt, daß jeder, der in ihr Haus kam, es ihres Mannes wegen tat und sich für ihre Tätigkeit (sie war Kinderärztin) nur interessierte, wenn er sie brauchte (wenn die lieben Kleinen krank waren also); doch handelte es sich bei diesen Leuten immer um wohlerzogene, die sich bemühten, ihr die Zweitrangigkeit erträglich zu machen, indem sie ab und zu ihren Mann zur Auflockerung der Fachthematik zwangen, ein wenig Klatsch einstreuten, das Gespräch mit Gewalt auf medizinische Randgebiete brachten, um ihr Gelegenheit zu Bemerkungen zu geben, oder doch wenigstens Flirtversuche machten, ihr selbst entworfenes (wenn auch nicht selbst geschneidertes) Kleid lobten oder auf ihre jugendlich wirkende Schlankheit anspielten. Für diesen Pötsch aber schien sie als selbständiges Individuum überhaupt nicht zu existieren. Wenn er sie während seiner historischen Kleinmalerei aus tiefliegenden Augen ansah, war dieser Blick nicht anders als der, den er für ihren Mann hatte. Keine schöne Frau, kaum älter als er, war sie in diesen Augen, sondern nichts als Gemahlin oder (diesen Ausdruck fand sie in ihrem Ärger besonders treffend) ein Stück Professor. Gleiche Kenntnisse und gleiche Interessen setzte Pötsch bei ihr als selbstverständlich voraus, und er war insensibel genug, nicht zu merken, wie schnell bei ihr der Mechanismus zu wirken begann, der sich durch jahrelange Belästigung mit Schwe-denow-Problemen in ihr herausgebildet hatte: die bloße Erwähnung des Historikernamens genügte zur Erzeugung eines Gähnreizes, den größte Willensanstrengung nicht unterdrücken konnte. Auch wiederholte Blicke zur Uhr nahm Pötsch nicht zur Kenntnis. Ihr beharrliches Schweigen kam seiner beharrlichen Redewut nur entgegen. Erst ihr festes Nein zu seinem Schloß-Besichtigungs-Vorschlag brachte ihn zum Verstummen, und zwar so plötzlich, daß sie ihre Grobheit sofort bereute. Beim Abschied fand sie deshalb noch viele Worte für die bloße Tatsache, daß ihrem Mann (nicht etwa ihr) diese Begegnung viel bedeutet hätte.

Als Pötsch schon draußen stand, im noch immer gleichmäßig fallenden Regen, öffnete Menzel noch einmal die Tür und überraschte ihn mit der Frage, wo er seine Forschungen zu publizieren gedenke.

Die optisch eindrucksvollste Wiedergabe von Pötschs Reaktion wären hier drei Zeilen mit Fragezeichen. Er wußte nämlich keine Antwort und war nicht einmal fähig zu sagen, daß er darüber noch nicht nachgedacht hatte.

Menzel wiederum war nicht in der Lage dieses Schweigen richtig zu deuten. Er hielt es für Taktik, die er respektierte.

»Wir reden noch darüber. Wann kommen Sie?«

»Bald, wenn ich darf.«

»Rufen Sie vorher an.«

Zum erstenmal in seinem Leben wurde Pötsch eine Visitenkarte überreicht. Er barg sie sorgfältig in der Innentasche seiner Wattejacke. Der einstündige Fußweg nach Schwedenow wurde ihm nicht lang. Daß der Regen in Schnee überging, nahm er kaum zur Kenntnis. Er versuchte, sich über das Thema des Aufsatzes, den er schreiben würde, klar zu werden. Als er die überflutete Wegstrecke am Torfsee passierte, wußte er schon den Titel: »Suche nach einem Grab«.

4. Kapitel
Goldene Träume

Mit Frau Pötsch kommen gleich vier andere Personen in die Geschichte hinein, die, um Überbevölkerung zu vermeiden, besser unterschlagen würden, wäre das möglich ohne Verfälschung der Heimkehrszene, in der in Pötsch Gefühle zu keimen begannen, die sich im Laufe der Zeit zu Giftpflanzen beträchtlicher Größe auswachsen sollten.

Die vier Personen hießen Alwine, Fritz, Ludwig und Dorette, waren Pötschs Mutter, Bruder und Kinder, saßen in der Küche am Eßtisch, aßen viel und laut, tranken Wurstbrühe dazu, ließen sich von der zwischen Tür und Herd hin und her hastenden Hausfrau bedienen und unterbrachen, als der äußerlich naßkalte, innerlich aber von Schreibgedanken erwärmte Pötsch eintrat, ihre Gespräche

nicht. Die Erwachsenen, Mutter Alwine (Omama
genannt) und Bruder Fritz also, sprachen von Heu-
verkäufen, die Kinder von Intimitäten der Lieproser Lehrer. Sollte man auf Pannwitzens Tausch-
angebot (Heu gegen Ferkel) eingehen oder lieber
warten, bis im Frühjahr das Heu noch knapper
wurde? Bekam die Russisch-Lehrerin nun ein
Baby oder nicht, und wenn ja, dann von wem?

Pötsch, ganz erfüllt von Erlebnissen und Träumen, die wiederzugeben ihn drängte, wurde in die
Gespräche gezogen, die ihn nichts angingen. Er aß
und trank, äußerte sich über die Marktlage von
Futtermitteln, vermied konkrete Aussagen über
den Wahrheitsgehalt von Schulgerüchten und wartete auf das Ende der Mahlzeit, die ihm ausgedehn-
ter erschien als jede zuvor. Die Erkenntnis, daß er

in dieser Runde immer gelitten hatte, gestand er sich zum erstenmal ein und dachte sie in klassischen Worten: ein Fremdling im eignen Hause.

Aber endlich war es soweit. Omama schlurfte ins Wohnzimmer vor den Fernseher. Bruder Fritz griff Mütze und Jacke und machte sich auf den Weg in die Kneipe. Die Kinder gingen, mehrmaligen Ermahnungen folgend, ins Bett. Er war mit der Frau allein. Jetzt konnte er reden.

Doch bevor er reden darf, muß, um seine ersten Worte (»Dein berühmter Namensvetter . . .«) verständlich zu machen, erwähnt werden, daß Frau Pötsch, Elke mit Vornamen, zwar nicht in Schwedenow, sondern in der Kreisstadt Beeskow geboren war, aber in ihren vorehelichen Zeiten doch Schwedenow geheißen hatte, wie übrigens auch zwei von den 11 Familien, die Schwedenow bewohnten. Wer die Gegend kennt, weiß, daß das so ungewöhnlich nicht ist. Auch in Liepros gibt es eine Familie Liepros, in Arndtsdorf einen Bäcker Arndtsdorf, und wer sich nach Görtz auf den Friedhof bemüht, kann dort die Erinnerung an zahlreiche Tote finden, die wie ihr Ort geheißen haben. Franz Robert, dem ersten Schwedenow-Forscher, war diese Tatsache nicht entgangen, und sie hatte ihn zu der Annahme bewogen: die von Freunden des Historikers und Dichters nach dessen Tod verbreitete Behauptung, Max von Schwedenow sei ein Pseudonym und bedeute nichts als der Max, der aus Schwedenow stammt, wäre falsch; er stammte vielmehr (so Franz Roberts Theorie) aus einer der bäuerlichen Schwe-

denower Schwedenow-Familien und habe sich das
Von nur aus jugendlicher Eitelkeit zugelegt. Beweisen ließ sich diese These, da Urkunden fehlten,
genau so wenig wie die erste, doch hatte Professor
Menzel sie freudig übernommen, das Von also
gestrichen, dafür aber dem Dichter das ehren-
volle Prädikat »kleinbürgerlich-revolutionärer De-
mokrat fronbäuerlicher Herkunft« verliehen (wo-
durch für ihn Frau Pötsch zu einer Ur-Ur-Ur-Enkelin Schwedenows werden wird, wenn er Monate
später, im Frühsommer, sie einer großen Gesellschaft als geborene Schwedenow aus Schwedenow
vorstellt, um daran, zu Pötsch gewandt, die Bemerkung zu knüpfen: nun wisse man endlich, wie wissenschaftliche Leistung entstehe: durch die Liebe
zu Frauen nämlich).

Sehr witzig wird das der Professor sagen, nur
stimmen wird es nicht: Nicht durch die Frau kam
Pötsch zum Dichter. Da wäre es schon weniger
falsch zu sagen: Über den Dichter kam er zu der
Frau. Denn daß der Name der Erwählten für den
Junggesellen bedeutsam war, ist nicht zu leugnen.
Nicht nur den Anlaß, sich ihr zu nähern, bot er
dem schüchternen Internats-Oberschüler, er machte
sie auch interessant für ihn. Er verehrte Max von
Schwedenow und kam aus Schwedenow; wie sollte
eine Elke Schwedenow da nicht Reize für ihn haben, wenn sie nur sonst nicht reizlos war. Und war
es nicht sogar denkbar, ja wahrscheinlich, daß
irgendeine Art Verwandtschaft zwischen dem Dichter Max und dem Mädchen Elke bestand? Doch

27

hätte wohl auch die Gewißheit einer solchen, wie zu hoffen ist, den Ausschlag nicht gegeben bei der Wahl. Wäre sie hartherzig, geschwätzig, dick oder luxussüchtig gewesen, wäre mit Sicherheit die Liebe nicht entbrannt. Er liebte sie nicht ihres Namens wegen, aber ihr Name war einer der Gründe, sie zu lieben; und er war besessen genug von seinen Studien, um den Gedanken zu denken (wenn auch nicht auszusprechen): Vielleicht sind unsere Kinder mit Max von Schwedenow verwandt.

Beim zweiten Kind, der Dorette, dachte er das schon nicht mehr, weil ihm inzwischen, wenn auch widerstrebend, klargeworden war, daß die von Franz Robert angeblich widerlegte Legende, Max von Schwedenow sei ein Pseudonym, doch leider stimmte.

Und deshalb begann er an diesem Regen- und Schneeabend, als die Kinder endlich im Bett waren, Omama vor dem Fernseher schlief und Bruder Fritz seine Heu-Verhandlungen mit Pannwitz in der Kneipe weiterführte, seine Erzählung nicht mit den Worten »Dein berühmter Urahne . . .«, sondern er sprach nur vom berühmten Namensvetter der Frau, der nun auch ihn berühmt machen würde.

Weil er fröhlich war und weil er es komisch fand, seine künftige kleine Berühmtheit mit der künftigen großen des Dichters zu vergleichen, lachte er nach diesem Anfangssatz, und seiner Frau hätte es gut gestanden, mitzulachen. Doch das tat sie nicht. Sie fragte vielmehr, ohne ihren Abwasch zu unterbrechen, ohne sich umzusehen, in ihre Schüssel

28

hinein: »Wieso?« – was auch nicht schlecht war, weil Fragen Interesse vermuten lassen und er nun erzählen konnte, vom steckengebliebenen Auto an bis zu der Frage, wo er denn zu publizieren gedenke, lebhaft, ausführlich, mit wörtlicher Rede her und hin. Doch als die Autotür (in seiner Erzählung) zuschlug und er selig im Regen stand, hinter sich das Glück des ersten Schwedenow-Fachgesprächs, vor sich den goldnen Traum des Gedrucktwerdens, da fiel der Frau nichts ein als die Bemerkung: daran gedacht, seinen Retter nach Hause zu fahren, habe der Herr Professor wohl nicht?

Statt zu antworten, schwärmte Pötsch von den Wonnen der Schreib-Planung, schilderte lustvoll seine Gedankenumwege, die ihn zu einem Ziel schon geführt hätten: zu der simplen Erkenntnis nämlich, daß zu schreiben sich nur lohne, was außer ihm niemand wüßte. Selbst Professor Menzel (dessen Namen er nie, auch in der Küche nicht, nackt, ohne den Titel, benutzte) müßte davon überrascht werden. Er, der Wissenschaftler, müßte von ihm, dem Landlehrer, Neues erfahren können, Sensationelles könnte man sagen, wenn ihm gelänge, was er sich vorgenommen hätte: den Nachweis nämlich zu erbringen, daß bei Max von Schwedenow nicht nur der Name nicht stimmte, sondern auch (ganz plötzlich wäre das vorhin, in Dunkelheit und Nässe, ihm klargeworden) das Todesjahr nicht.

Die Pause, die Pötsch hier machte, war dazu bestimmt, seiner Frau Gelegenheit zu Reaktionen zu geben. Sie nutzte sie; aber nicht zu einem Ausruf des Erstaunens oder zu einer interessierten Frage, sondern (veranlaßt durch das Stichwort Nässe) zu einem Griff nach seinem Pullover, den sie feucht fand und zu wechseln empfahl.

Da Pötschs Begeisterung auch für zwei reichte, konnte der Weg der Frau (und des ihr folgenden Mannes) in das Schlafzimmer, das Öffnen des Kleiderschranks, das Ausziehen, das Anziehen, der Weg zurück in die Küche zwar die Abwäsche unterbrechen, nicht aber Pötschs Thema, dessen Abschnitt: Urkunden, jetzt dran war. Franz Robert hatte keine gefunden. Daß an dem Tag, den Max von Schwedenow mehrmals als seinen Geburtstag bezeichnet hatte, im Lieproser Kirchenbuch (Schwedenow hatte keine eigne Pfarre) die Geburt eines Friedrich Wilhelm Maximilian von Massow, Sohn des Obristen a. D. und Verwalter des Königlich Preußischen Forstamtes Schwedenow, eingetragen war, hatte er wohl deshalb nicht beachtet, weil hinter dieser Eintragung von anderer Hand, mit anderer Tinte geschrieben stand: gest. 1820 in Berlin. Denn er zweifelte wohl nicht an der von Schwedenow-Freunden verbreiteten Nachricht: der Dichter wäre 1813 bei Lützen gefallen.

Den Abwasch hatte Frau Pötsch beendet, den Tisch gewischt, den Fußboden gefegt, immer von Reden des Mannes begleitet, der an der Geschirrschüssel stand, das Tuch in der Hand, und der doch zum Abtrocknen nicht kam, da ihn Höheres bewegte: Dutzende von Hinweisen auf die militä-

30

rische Vergangenheit des Vaters beispielsweise, brieflich erwähnte Verwandte, die eine einflußreiche Adelsfamilie vermuten ließen, die künstlerisch wenig, aber biographisch vielleicht bedeutsame Erzählung »Verlorene Ehre«, in der ein Obrist v. M.(!), wegen angeblicher Feigheit bei Jena und Auerstedt aus dem Dienst entlassen, um Rehabilitierung kämpft; und vieles mehr.

Die Eßküche war groß genug, um in ihr auf und ab gehen zu können, was Pötsch auch tat, während er der Frau die Arbeitsphasen erklärte, die er nun vor sich hatte. Jedesmal, wenn er bei ihr, die das Geschirrtuch längst ergriffen hatte, vorbeikam, drückte sie ihm Teller, Tassen oder Schüsseln in die Hand, die er, weiterredend, zum Geschirrschrank trug und dort so ungeschickt stellte, daß die Frau bald, ohne ihn zu unterbrechen, kommen und Ordnung schaffen mußte, während er redend seine Gedanken verfertigte, eine Gliederung des Aufsatzes entwarf und sich die Mühen ausmalte, die es kosten würde, sämtliche Berliner Sterberegister von 1820 durchzusehen – Mühen, die vielleicht vergeblich sein würden. Denn mit dem Beweis, daß ein Maximilian von Massow in Berlin gestorben war, war die Behauptung, Max von Schwedenow sei 1813 für König, Vaterland und Freiheit gefallen, noch nicht widerlegt. Vielleicht würde er gezwungen sein, das Leben dieses von Massow zu rekonstruieren.

»Ich werde viel unterwegs sein müssen, Elke«, schloß er, als seine Frau, schon von der Tür her, die Sauberkeit der Küche noch einmal überprüfte. Zufrieden war sie nicht, griff vielmehr nach dem Besen, da seine wissenschaftlichen Gänge Spuren hinterlassen hatten.

Aber sie verlor kein Wort über die Gummistiefel. Sie setzte ihren Mann auf einen Stuhl und zog sie ihm aus.

»Vielleicht wäre es besser, sich erst einmal um die Gefallenen-Listen zu bemühen«, sagte er, als sie ihm die Pantoffeln brachte.

5. Kapitel

Dorfnachrichten

Zum Lieproser Postbezirk gehörten auch Schwedenow und Görtz. Postamtsvorsteherin und Briefzustellerin war Frau Seegebrecht. Über die Einwohner der drei Gemeinden war sie so gut informiert wie keiner sonst. Die beste Informantin war sie freilich nicht, da sie ihre postalische Schweigepflicht so ernst nahm, daß sie immer nur Teile ihres Wissens preisgab. Über Leute, die sie mochte, erzählte sie nur Gutes weiter, über die anderen Schlechtes, beides aber unvollständig. So konnte sie ein gutes Berufsgewissen behalten und die Zuhörer merken lassen, daß sie mehr wußte als sie sagte. Namen sprach sie ungern aus, hatte aber in den zwei Jahrzehnten ihres Wirkens ein festes System von Personenumschreibungen entwickelt, das Irrtümer ausschloß. Nannte der Gesprächspartner dann den

Namen, rief sie triumphierend: Das haben aber Sie gesagt, nicht ich!

Neben den konventionellen Nachrichtenquellen, den Postkarten, Telegrammen, täglichen Hausbesuchen (Hausbriefkästen ignorierte sie grundsätzlich), diente auch das Telefonmonopol der Post dazu, ihren Wissensdurst zu stillen. Denn private Fernsprechanschlüsse gab es in Liepros und Schwedenow nicht. Wollte man nicht die LPG-Buchhalterin, die Schulverwalterin oder die Gemeinderatssekretärin bestechen, mußte man bei ihr telefonieren, die stets zum Mithören verpflichtet war, da sie den Postamtsraum mit der Postkasse nicht unbeaufsichtigt lassen durfte, wenn ein Postkunde zugegen war. Sie rief die Vermittlung in Beeskow an, plauderte ein wenig mit den ihr bekannten Telefonistinnen oder lernte die ihr unbekannten auf diese Weise kennen, übergab, war die Verbindung hergestellt, widerwillig den Hörer und setzte sich, je nach Thema des Gesprächs ernst oder lächelnd, neben den Sprechenden, ohne ihr Interesse zu verbergen. Sich nicht einzumischen, fiel ihr sichtlich schwer, doch da sie ihre Pflichten ernst nahm, tat sie es nie und setzte das Thema des Gesprächs nach dessen Ende auch nur fort, wenn sie sich vom Kunden dazu ermuntert fühlte.

Für Pötsch war jedes Telefonat eine aufregende Aktion, eins mit Professor Menzel im besonderen Maße. Es in Anwesenheit eines Zeugen zu führen, dessen Neugier so wenig wie möglich Nahrung gegeben werden sollte, machte es noch schwieriger.

Die achttägige Anstandsfrist, die Pötsch hatte verstreichen lassen, war mit vielfältigen Überlegungen zum Charakter des Gesprächs gefüllt gewesen, die letztlich aber doch kein Ergebnis gebracht hatten, da die Reaktionen des Professors vorauszuberechnen unmöglich war. Schließlich war er in seinem Pessimismus so weit gegangen, daß er voraussetzte, Menzel müßte an die Begegnung im Regen erst behutsam erinnert werden. Die in den ersten Tagen erdachten witzigen Varianten seiner Anfangssätze, die sich auf die Namensgleichheit von Dichter und Ort bezogen, strich er also aus seinen Gedanken und legte sich fest auf die unoriginellen Sätze: Entschuldigen Sie bitte die Störung, Herr Professor, mein Name ist Pötsch, vielleicht erinnern Sie sich noch: ich bin der Lehrer aus Liepros, mit dem Sie in der vorigen Woche über Schwedenow gesprochen haben.

Genau so sagte er das also jetzt, nachdem Frau Seegebrecht sich von der Telefonistin über das Versagen der Straßenreinigung bei den Schneefällen der letzten Tage hatte unterrichten lassen, oder vielmehr: genau so wollte er es sagen, kam aber nur bis zur Nennung seines Namens, weil Menzel ihn schon an dieser Stelle mit einem »Wie schön!« unterbrach, worauf Pötsch sehr fröhlich wurde, und Frau Seegebrechts winziger Mund sich zu einem Lächeln dehnte.

Sie hatte ihren Dienststuhl so gerückt, daß sie tief in ihm sitzen und den Telefonierer doch betrachten konnte. Ihr Blick war wohlwollend, seiner ging krampfhaft an ihrem vorbei, zum Fenster, zum Bodenbelag oder zur Zimmerdecke. Bei aller Konzentration auf dieses wichtige Gespräch quälte ihn in einer tieferen Stufe des Bewußtseins das Gefühl von Unhöflichkeit dieser interessierten Frau gegenüber, die dienstfertig ausharrte, obwohl der Informationswert dieses Gesprächs gering für sie war. Ihr Gesicht zeigte es: mißmutiger wurde es von Minute zu Minute.

Denn außer den Anfangsworten: Entschuldigen Sie die Störung, Herr Professor, mein Name ist Pötsch ... und der Freudenminute, die ihr auch was sagte, hörte sie von diesem sündhaft teuren, weil ausgedehnten Dialog von (das war ihr klar) nicht alltäglichem Charakter nur den Part dessen, der nichts zu sagen hatte oder nicht zu Worte kam. Ja ... Ja ... Gewiß ... Ich verstehe ... Natürlich ... Sicher ... Aha! ...: so ging das fünf, zehn, zwölf Minuten lang, ohne den geringsten Kontakt

zu ihr. So sehr gelangweilt hatte sich Frau Seegebrecht bei Telefonaten selten.

Pötsch dagegen merkte gar nicht, wie die Zeit verging. Wie schön! hatte Menzel gesagt und war dann ohne jede floskelhafte Frage nach Wohlergehen oder Wetter sofort zu ihrer gemeinsamen Sache gekommen, das heißt, zu seinem Buch, an das er letzte Hand anlegte, stilistisch feilte, doch auch inhaltliche Kleinigkeiten änderte, biographische Details, die ihm (»Sie werden es nicht ungern hören, Herr Pötsch«) nach dem Gespräch im Regen bei Dreiulmen doch in anderer Beleuchtung erschienen waren. Zwar war Biographisches in seinem Werk der ideologischen Standortbestimmung an den Rand verwiesen, es spielte aber doch seine, wenn auch kleine, Rolle. Und weil Pötsch das sicher besonders interessierte und das Manuskript gerade vor ihm lag, las Menzel gleich die erwähnte Passage vor, und noch eine, die eng damit zusammenhing, zu deren Erklärung aber einige Bemerkungen vorausgeschickt werden mußten, damit Pötsch die gegen bürgerliche Historiker gerichtete Ironie begreifen konnte, was in vollem Umfang aber erst möglich wurde durch Einblicke in die Gliederung des ganzen Abschnitts, den man im Kontext zum Appendix über den Historismus sehen mußte.

So ging das von Minute zu Minute, und wenn Pötsch auch noch nie von Historismus gehört hatte und auch nicht wußte, was ein Appendix ist, so sagte er doch ja, ja, ja, und selbst dieses kürzeste

aller Worte war noch zu lang für die Pausen, die
Menzel zwischen den Teilen seiner Rede frei ließ.
Doch Pötschs Interesse war so groß wie seine
Freude, als Partner akzeptiert zu sein, und er vermißte nichts. Die Probleme, die ihn bewegten, vorzutragen, hatte er am Telefon nicht vorgehabt.
Dazu sollte sein Besuch bei Menzel dienen – von
dem dann auch am Schluß die Rede war. So plötzlich, wie der Professor sein Thema begonnen hatte,
brach er es auch ab, fragte, ob Pötsch am Mittwoch, 16 Uhr kommen könnte und verabschiedete
sich. Wieviel Zeit der Professor für ihn geopfert
hatte, wurde Pötsch erst an der Telefonrechnung
klar.

Doch ehe die von der Vermittlung durchgesagt
wurde, vergingen einige Minuten. Die wurden ihm
nun wirklich lang. Denn jetzt hatte er mit Frau
Seegebrecht zu reden, die nicht in guter Laune war.
In eine bessere sie versetzen hätte er nur können,
wenn er bereit gewesen wäre, sie über sein Gespräch zu unterrichten. Das aber war er nicht,
redete vielmehr vom Wasserstand der Spree, vom
Zustand der Schulspeisung und von den Umständen, in denen die Russisch-Lehrerin angeblich
war – ohne jeden Erfolg. Aufzuheitern war Frau
Seegebrecht mit diesen abgestandenen Neuigkeiten
nicht, weshalb sie in den nächsten Tagen auf die
ihr wohlgesonnenen Schwedenower brockenweise
ihre neueste namenlose Personalnachricht verteilte,
die dann für einen, der sie wieder zusammenzuset-
zen vermochte, besagte: In Berlin schreibt ein Pro-

fessor ein Buch über das Dorf und ein nicht näher bezeichneter Lehrer liefert ihm ständig den Stoff dazu – also: Vorsicht!

6. Kapitel

Im Orkus

Nicht nur um ihnen Pötschs Begeisterung verständlich zu machen, sondern auch ihres eignen Genusses wegen, wäre den Lesern zu wünschen, dieses Kapitel könnte ihnen recht bildhaft vor Augen führen, welche schönen und kostbaren Dinge der Landlehrer am Mittwoch zu sehen bekam, nachdem er genau um 16 Uhr die Klingel an Professor Menzels Gartentür betätigt hatte. Aus Angst vor Verspätung war er zu früh gekommen, hatte, um nicht aufdringlich zu wirken, noch einen Spaziergang durch die sich bis in den Wald hinein erstreckende Villensiedlung unternommen und sich dabei, in dem Bemühen, die Gedanken, die er dem Professor vortragen wollte, zu ordnen, so in ihnen verlaufen, daß er, die Blicke ganz auf das innere Chaos gerichtet, keinen mehr übrig hatte für die Schönheiten, vor denen er stand. Die Klingel aus Messing, die er in der Hand hielt, ein Kranz von verschlungenen Mädchenleibern mit stecknadelkopfkleinen Brüsten, betrachtete er nicht anders als einen der Plasteklingelknöpfe, die der Lieproser Konsum feilbot. Vom kunstgeschmiedeten Zaun sah er nur die Lücken zwischen den Blumenorna-

menten, durch die, über einen auch im Winter sorgfältig gepflegten Rasen hinweg, er die neugotische
Villa hätte bewundern können, wäre von ihm nicht
nur ein winziger Teil von ihr, die Tür nämlich, aus
der der Professor treten konnte, ins Auge gefaßt
worden.

Er war also vorläufig noch blind für die Schönheiten, nicht aber taub für den Wohlklang des
Läutwerks, das er durch Heben des Jungfrauen-
kranzes in Bewegung gesetzt hatte. Durch die nach-
mittägliche Vorstadtstille drang der Dreiklang des
Gongs zu ihm, gefolgt von fröhlichem Hundegebell,
das erst durch Hauswände gedämpft war, plötzlich
aber, mit Knack- und Zischlauten vermischt, dicht
an seinem Ohr ertönte, aus dem gemauerten Tor-
pfosten heraus.

Nun ist eine elektroakustische Sprechanlage, vor
Jahrzehnten noch Vorzeigegerät exklusiver Wohn-
sitze, heute jedem Wohnhochhausmieter vertraut
und kein Grund zum Erschrecken. Pötsch aber, der
Landbewohner, dessen vierjährige Berliner Stu-
dentenzeit bald ein Jahrzehnt zurücklag, wußte
zwar von der Existenz solcher Anlagen, war jedoch
nie einer begegnet, so daß er über die unvermutete
Lautverstärkung des Gebells erschrak und nicht
gleich wußte, was und wohin er zu sprechen hatte,
als sich über Rauschen und Bellen noch eine
Frauenstimme schob und »Ja bitte?« fragte.

Es dauerte also ein zweites »Bitte?« und ein ungnädig getöntes »Wer ist denn da?« lang, ehe er
das unauffällige Hör- und Redegitter orten und sei-

nen Namen, der Lautstärke des Apparats angepaßt, in den Türpfosten schreien konnte. Seine so offenkundig gewordene Unwissenheit hatte den Vorteil, daß die Stimme ihm nun ausführliche Anweisungen zum Öffnen der Tür gab, die er peinlich genau befolgte. Auf abwechselnd rot und grau getönten Granitplatten erreichte er das Haus, aus dem ihm ein langhaariger Bernhardiner in Kalbsgröße entgegensprang, der es sich bald unter Pötschs streichelnden und klopfenden Händen wohlsein ließ.

Von allen Schönheiten, die ihn für Stunden umgaben, war die des Hundes die erste, die er in sein Bewußtsein aufnahm, und zwar aus Berechnung. Er fürchtete sich nämlich vor den ersten Gesprächsminuten, in denen erfahrungsgemäß nur Freundlich-Nebensächliches geredet wird, zu dem er sich, Auge in Auge mit einem Professor und zumal mit diesem, ohne Vorbereitung nicht fähig fühlte. Da nun einige Schwedenower Bauern nach Verlust ihrer Selbständigkeit und dem Gewinn an Freizeit ihre brachliegende Privatinitiative auf die Zucht von Rassehunden gerichtet hatten, waren Kenntnisse dieses Liebhabergewerbes auch in Pötschs Lokaluniversalismus eingedrungen. Er verstand etwas von Hunden und hoffte, daß der Bernhardiner, den an seiner Seite zu halten er sich bei entsprechender Aufmerksamkeit schon zutraute, unauffälliger Anlaß zu einem gezielten Gespräch über ihn werden könnte.

Leider erwies sich diese Berechnung als falsch, da Menzel, als er erschien, erstens, den Hund in seine Kammer (die übrigens die Ausmaße von Pötschs Kinderzimmer hatte) zurückjagte und, zweitens, durch Erfahrungen mit Besuchern, die alle Pötschs originellen Einfall gehabt hatten, gewitzigt, sofort erklärte, daß der Bernhardiner seiner Frau gehörte, er für Hunde, für Tiere überhaupt, ja, für alles, das man, als Gegensatz zur Kultur im engeren Sinne, Natur nenne, nichts übrig hätte, was auch bedeutete, daß man den Rasen, die Rosen und alles andere Grünzeug in Haus und Garten zu loben, ihm gegenüber sich sparen und lieber für eine eventuelle Anwesenheit der Frau aufheben könnte.

Pötsch machte den Versuch, belustigt und nicht betroffen zu wirken. Er gelang aber nicht. Täuschen ließ sich Menzel durch das gezwungene Lachen nicht, aber genau so wenig enttäuschen. Es war vielmehr so, daß mit seiner Überlegenheit die Sympathie für Pötsch wuchs und er alles tat, was, wie er dachte, den jungen Mann erfreuen könnte. Er zeigte ihm also die Schätze des Hauses.

Natürlich zeigte er dabei auch sich selbst, und zwar so, daß Pötsch für eine Entdeckung hielt, was er da merkte. Es war das seltsame Nebeneinander von für unvereinbar geltenden Wesenszügen, das Pötsch am Professor feststellte und vorläufig mit den Begriffen Zynismus und Naivität umschrieb, die aber das Phänomen so ungenau trafen, daß er es sich selbst (und später Elke) immer wieder an Beispielen klarmachen mußte. Hatte Menzel noch eben gezeigt, wie scharfsinnig er Schmeicheleien

41

durchschaute, so forderte er im nächsten Augenblick, als es um Dinge ging, die er als die seinen
ansah, Lobsprüche in einer Weise heraus, die
Pötsch sich nicht scheute in Gedanken kindlich zu
nennen – selbstverständlich erst, nachdem er sicher
wußte, daß die Komplimentenfischerei ernst gemeint war. Das dauerte allerdings lange, weil er es
bei einem so berühmten und eigner Qualität so
sicheren Mann nicht für möglich halten wollte.
Dann aber lobte er so gut er konnte, nur konnte er
es leider schlecht. Obwohl er nach einer Weile
wußte, daß keine positive Übertreibung zu über-
treiben sein konnte, brachte er nicht fertig, sie auszusprechen, selbst wenn sie ihm einfiel.

Die erste Station des Rundgangs durch das Haus
machte ihn noch verlegen, weil er beim fröhlichen

»Wie finden Sie das?« des Professors noch glaubte, Kritikfähigkeit zeigen zu müssen. Es handelte sich um eine Kostbarkeit eigner Art, die Haushälterin nämlich, deren Stimme Pötsch schon vor dem Gartentor erschreckt hatte. Die wurde ihm nun vorgestellt als »unsere unersetzliche Frau Spießbach« und gleich nach ihrem Abgang die Erklärung angeschlossen, sie hieße eigentlich Spießbauch, doch wäre Menzel solche Entstellung des Menschen durch seinen Namen unerträglich, weshalb er ihr am ersten Tage schon erklärt hätte, daß er durch Weglassung eines unbedeutenden Vokals ihren Namen dem Stil des Hauses anpassen würde. Darauf also hatte Pötsch ganz falsch reagiert, indem er, statt billigendes Gelächter anzustimmen, der Aristokraten gedachte, die alle ihre Diener Anton nannten.

Die Mißstimmung war so deutlich, daß Pötsch ein zweiter Fehler dieser Sorte nicht mehr unterlief, nur einer anderer Art. Beim Durchgang durch den ersten Raum mit schönen alten Möbeln fiel ihm unglücklicherweise ein Schwedenow-Bonmot ein, in dem behauptet wurde, daß die Qualität eines Buches oft im umgekehrten Verhältnis stünde zur Qualität des Tisches, auf dem es geschrieben wurde. Menzel schwieg dazu, doch sagte seine Miene: Geistreich sein kann ich selbst.

Pötsch war nicht gekränkt. Er hatte seine Rolle nun begriffen und war bemüht, in ihr nicht zu versagen. Menzels Kommentare wiesen ihm die Richtung, in die zu zielen war. Nicht als Besitzer wollte

43

er gewürdigt sein, sondern als Mann mit Bildung und Geschmack und Witz. Verständnisvolles Lachen war ihm lieb, Begeisterung und interessierte Fragen. Was Pötsch da mühsam lernte, war nicht etwa Heuchelei. Er war ja voller Lob und Ehrfurcht. Er mußte ja wirklich lachen über die Anekdoten, die sich an jede Vase, jedes Möbel knüpften. Er hatte ja Fragen über Fragen zu Fayencen und Intarsien, zu Empire und Biedermeier. Was er lernte, war eigentlich nur, seine Empfindungen ungewöhnlich deutlich zu äußern und damit zu danken für den Gewinn, den er hatte. Denn sein kunst- und literaturwissenschaftliches Wissen wuchs, und sein Stilempfinden wurde gefördert durch diesen ausgezeichneten Lehrer, der ihm an einem Ranke-Porträt die bürgerliche Geschichtsschreibung oder an einem Sekretär von 1810 den Lebensstil der napoleonischen Zeit verständlich machen konnte.

Das alles aber war erst Auftakt. Der Höhepunkt kam noch: die Bibliothek. Manch Bibliophiler, der sie sah, wurde stumm vor Neid. Pötsch nicht. Er war in einem Rausch von Glück. Nie spielte er seine Rolle, die er dabei vergaß, so gut.

Nach kurzem Überblick über die Fülle des Gesamtbestandes führte ihn Menzel an das Heiligtum heran: die Erstausgaben von 1789 bis 1815, die Geschichtsschreiber erst, so seltene, nie wieder gedruckte Leute wie Bülow, Massenbach darunter, einige Philosophen, viele Memoiren, Zeitschriften, dann die Literaten, Goethe, Schiller, Forster, Richter, Kleist und Körner, beide Schlegels, Tieck in langen Reihen und schließlich, Pötsch war sehr feierlich zumute, Max von Schwedenow: »Barfus«, »Emil«, »Friedensbund« im Einband der Zeit, die »Geschichte der Koalitionsfeldzüge« sogar als Fortsetzungsdruck in einer Zeitschrift. Pötsch wußte nicht, wonach er zuerst greifen sollte.

Erstausgaben zu sammeln, war für den Schwedenow-Forscher kein Hobby, es war eine Notwendigkeit, da nur zwei Romane (die einzigen, die Pötsch besaß) von Franz Robert um die Jahrhundertwende nachgedruckt worden waren. Die anderen hatte Pötsch nur im Lesesaal der Staatsbibliothek lesen können. Das muß wissen, wer verstehen will, warum er jetzt blätternd auf der Leiterstufe saß und aussah wie einer, der endgültig am Ziel ist.

Aber Menzel hatte feste Pläne. »Ab in den Orkus!« entschied er nach einem Blick auf die Uhr und setzte, als Pötsch sich nicht trennen konnte, lockend hinzu: dort werde er noch mehr von M. S. finden.

Gemeint war der Keller, den der Professor, wie er erklärte, so unumschränkt beherrschte, wie Gott Hades die Unterwelt. Das Elysium, die Sauna nämlich, wurde nur mit einem Blick gestreift, dann ging es am Heizungsraum vorbei auf eine Brettertür zu, die Menzel mit den Worten: »Sie betreten den Tartarus«, öffnete. Es war sein Arbeitszimmer, ein fensterloser Raum mit weißgetünchten Wänden, sparsam möbliert: ein langer Tisch mit

Schreibmaschine, Tonbandgerät, Papier- und Bücherstapeln, ein Stuhl, ein Hocker, Regale mit Büchern, Heften, Ordnern, das war alles. Die Kostbarkeit dieses Raumes bestand in seiner Ruhe, seiner Abgeschiedenheit.

Kaum saßen sie, kam auch schon Frau Spießbauch, servierte wortlos Kaffee und sah so aus, als wäre ihr das Reden in diesem Raum vom ersten Tage an verboten worden. Wieder sah Menzel nach der Uhr und stellte fest: es blieb noch eine Stunde, dann kam der Wagen, um ihn zum Fernseh-Studio abzuholen. Zu besprechen war noch viel, nämlich die Punkte eins, zwei, drei und vier, die er dann so gut gegliedert und sprachlich so geschliffen vortrug, daß man die Rede druckreif nennen könnte, wäre dieser Ausdruck nicht verfehlt für einen Inhalt, der Öffentlichkeit zwar behandelte, aber nicht für sie bestimmt war. Unausgesprochen trugen Menzels Ausführungen den Vermerk Streng vertraulich!, und Pötsch war sich in dieser aufregenden Stunde der Ehre, die ihm widerfuhr, vollkommen bewußt. Die Härte des Hockers nahm er ebensowenig wahr wie die erzwungene Stummheit, die ihm wiederum nur zustimmende Jas erlaubte.

Als er um halb sieben, wieder von Hundegebell begleitet, Orkus und Haus verließ, um seine Vier-Stunden-Fahrt mit S-Bahn, Bus und Fahrrad anzutreten, war seine Tasche schwer geworden, weil zu dem Alpenveilchenstrauß, den er vergessen hatte abzugeben, zwei Schwedenow-Bücher und ein dreibändiges Schreibmaschinen-Manuskript hinzu gekommen waren. Sein Gemüt aber war leicht und heiter. In der Bahn las er die für sein Vorhaben wichtigen »Nachgelassenen Briefe an Freunde« von 1815, deren Vorwort die einzige Nachricht über Schwedenows fragwürdigen Tod enthielt. Als er das in Arndtsdorf abgestellte Fahrrad bestieg und in frostklarer Nacht durch den Wald fuhr, wurde das Vier-Punkte-Programm, um Schilderungen des Professors, der Haushälterin und der Villa vermehrt, in seinen Gedanken immer wieder neu zu der für Elke spannendsten Erzählart gegliedert. Erst in der warmen, nach Kuchen duftenden Küche, in der Elke noch tätig war, spürte er seinen Hunger. Aber nicht ihm galten seine ersten Worte, sondern der Stadt, aus der er kam.

»Was hältst du davon, nach Berlin zu ziehen?«

7. Kapitel

Wirkung von Alpenveilchen

Elke Pötsch gehörte zu den Menschen, die von sich behaupten, daß sie mit beiden Beinen auf der Erde stehen – was sagen soll: sie hängen nicht Erinnerungen nach, sie träumen nicht voraus, sie leben in der Gegenwart, tun was gefordert wird (sehr tüchtig) und schlafen gut. Fragen und Konjunktive sind ihre Sache nicht. Sie feiern Feste wie sie fallen, strecken sich nach allen Decken und bereuen Entscheidungen nie – was leichtfällt, weil deren graue oder schwarze Folgen vorher von keinem

Erwartungsglanz vergoldet worden waren. Im Gegensatz zu Träumern, Utopisten, Besserwissern, die Realitäten mit dem Maßstab ihrer Wünsche messen (und zu klein befinden), sind sie, die Maßgerechten, in Staat und Ehe wohlgelitten. Nie werden sie zu Nörglern, Querulanten; nie versuchen sie mit Hilfe ihrer Ideale, den Ast, auf dem sie sitzen, anzusägen oder nur zu wechseln. Elke fragte nicht mal nach dem Wetter. Schlechtes und gutes gab es für sie nicht: nur Kleidung, die ihm nicht entsprach.

Dem großen Vorbild ihrer Mutter folgend, die fleißig, tapfer, zäh und klaglos vier Kinder aufgezogen und einen arbeitsscheuen Mann ertragen hatte, leistete sie sich keine Krankheit, keine schlechte Laune. Obwohl sie nur zwei Kinder hatte, stand sie, nach Aufgabe ihres Sportlehrerberufs, doch einer sechsköpfigen Familie vor. Daß sie Pötschs großes Elternhaus (zu dem zwei Morgen Garten, zwei im Verfall begriffene Ställe, eine bereits verfallene Scheune, ein Hund, zwei Katzen und 13 Hühner gehörten) allein versorgen mußte, konnte sie als Unrecht nicht empfinden. Mann und Schwager verdienten, wie es in der Ordnung war, das Geld, Omama war alt, die Kinder klein, und wenn es nötig war, konnte Elke alle fünf zu Haus- und Hofarbeiten durchaus auch zwingen.

Alle Dorfbewohner mochten Elke gern, weil es ihr Freude machte, auf jedermanns Interesse einzugehen. Sie konnte mit anderen besser reden als mit ihrem Mann, sei es über Kindernahrung oder

Brennholzpreise. Wenn sie die Holzstapel abschritt, die Festmeterzahl schätzte und den guten Einkauf lobte, gab sie jedem das Gefühl, sich im Leben auszukennen. Wer über Heilkräuter, Pilze, Pflaumenmus etwas erfahren wollte, ging zu ihr. Sie, die nie Zeit hatte, hatte Zeit für jeden. Ohne Hast zu zeigen, verstand sie Gespräche kurz zu halten.

Zu längeren war nur Gelegenheit an Sonntagnachmittagen, an denen sie Besuche machte und spazieren ging. Denn sie achtete streng darauf, daß jeder Sonn- und jeder Feiertag ihr Freuden bot. Die Sauberkeit in Haus und Hof erfreute von früh an schon ihr Auge. Das vormittägliche Kochfest fand seine Krönung im einzigen gemeinsamen Mittagessen der Woche in der großen Stube. Der Abwasch blieb bis Montag stehen. Wenn Fritz schon auf der Couch lag, Omama im Sessel eingenickt war, der Mann, wie jeden Tag, in sein Arbeitszimmer ging, machte sie sich fein, rief Hund und Kinder und ging los, mal weit bis zu den Reiherbergen, von denen aus man das Gewirr von Rinnsalen sehen kann, durch die der Torfsee seine Wasser in die Spree ergießt, mal nur nach Görtz zu ihrer Freundin. Dann war zuerst der Garten dran, der Schritt für Schritt begangen, gelobt, auch kritisiert wurde, dann der Kaffeetisch, an dem sie es lange aushielt, wenn Hund und Kinder am Dorfteich sich vergnügten. Die Sonntagsruhe, die von ihr ausging, teilte sich dann anderen mit, die Hast, in der sie lebten, fiel von ihnen ab, die Qual des eignen Ungenügens verstummte vor dieser Selbstgenügsamkeit. Die Freundinnen sprachen über dies und das, über Kinder natürlich, auch übers Altern, niemals aber über Elkes Ehe, die, was den körperlichen Teil betraf, so gut wie tot war, lange schon.

Sie fand das sicher ganz normal, weil sie es nicht anders kannte. Es war vorbei, nun gut, so war das Leben, zwei Kinder hatten sie, mehr sollten es nie sein. Resignation in diesem Punkt paßte sich gut ins schöne Gleichmaß ihres Lebens ein.

Dieses Gleichmaß wurde nun von ihrem Mann gestört, nicht willentlich natürlich. Die Seelenruhe seiner Frau beschäftigte Pötsch an jenem Abend, als er, aus Berlin kommend, zuerst eine Frage stellte, überhaupt nicht. Er wollte nicht mal eine Antwort. Wie Elke sich zu Umzugsplänen verhielt, kümmerte ihn nicht. Er wollte reden, mit Erfolgen prahlen, sein Glück beschreiben. Er brauchte keine Meinungen, er brauchte nur ein bißchen Resonanz. Elke tat gut daran, eine Antwort, die sie nicht wußte, nicht erst zu versuchen. Sie sagte:»Du wirst Hunger haben«, und tischte auf.

In merkbare Unruhe hatte die Frage des Mannes sie nicht gleich versetzt. Sie war es gewohnt, ihn nicht ernst zu nehmen. Leicht fiel es ihr, sich zu geben wie sonst: als willige Zuhörerin, von der außergewöhnliches Interesse nicht verlangt wird. Aber sie paßte auf, um entscheidende Wendungen der Schwedenow-Spielerei nicht zu verpassen. Während er von den Nebensächlichkeiten (die sie meist so lustig nicht fand, wie er sie darstellte) zur Hauptsache kam, waren ihr zwei beunruhigende Besonderheiten schon klargeworden: seine unmäßige Heiterkeit und die rücksichtsvollen (freilich nie ganz gelingenden) Versuche, sie mit langweiligen literaturhistorischen Details zu verschonen. Was sie nicht merkte war, daß er sich die vier Punkte, die vorzutragen waren, so ordnete, daß der für sie bedeutsamste am Schluß zur Sprache kam.

Es ging darum (wie Pötsch bei Leberwurstbroten nach Menzel-Zitaten referierte), Max Schwedenow »unserer Öffentlichkeit ins Bewußtsein zu hämmern«, und zwar so energisch, daß ab sofort kein Historiker und Literaturwissenschaftler mehr an ihm vorbeisehen, ab morgen kein Lehrplan ohne seinen Namen vollständig sein konnte und eine staatlich inszenierte Feier seines 165. Todestages im übernächsten Jahr nicht zu umgehen sein durfte. Sämtliche Massenmedien wollte Menzel selbstverständlich aktivieren. Sein Buch über den »Märkischen Jakobiner« sollte ein übriges tun.

Damit war Pötsch bei seinen eignen Aufgaben. Er legte das Käsebrot beiseite, wischte die Krümel vom Mund, das Fett von den Händen und entnahm der Tasche das Manuskript der heute berühmten Schwedenow-Monographie. Die mehr als 600 Blatt maschinenbeschriebenen Durchschlagpapiers füllten drei Hefter. Nach dem allgemeinen ersten Programmpunkt (Schwedenow-Kampagne) war das der zweite: Menzel vertraute Pötsch das künftige Standardwerk an, zum Korrekturlesen, zur Überprüfung der biographischen Daten und

Fakten. Pötsch verhehlte Elke seinen Stolz auf dieses Vertrauen nicht.

»Ein Haufen Arbeit«, sagte die.

»Was heißt hier Arbeit? Ich platze vor Neugier.«

»Und Punkt drei?«

In diesem zeigte sich des Professors Wendigkeit. Wie Elke leicht begriff, war es nicht gut, wenn die Bearbeitung der Öffentlichkeit nur von einem Menschen aus erfolgte. Der Verdacht, dem Einfluß einer Marotte zu erliegen, durfte nicht erst aufkommen. Deshalb hatte der Professor nicht selbst, sondern ein Bekannter bei der »Urania« den Vortragszyklus »Vergessene Dichter – neu entdeckt« angeregt und als glanzvolle Eröffnung einen populärwissenschaftlichen Vortrag vorgeschlagen, dessen Patronat Menzel zwar, scheinbar widerstrebend, angenommen, zum Referenten aber einen anderen vorgeschlagen hatte, um schon vorhandene Breite des Interesses vorzutäuschen. Elke fand das sehr geschickt, weil sie an sich selber merkte, wie die Schwedenow-Begeisterung ihres Mannes in dem Maße an Skurrilität für sie verlor, in dem sie sie von einem anderen geteilt wußte. Den Namen des vorgesehenen Referenten zu raten, fiel ihr nicht schwer, da sie ihn, strahlend vor Freude, vor sich zu sitzen hatte.

Inzwischen war es Mitternacht geworden. Sie sahen nicht auf die Uhr, merkten es aber an dem aus der Kneipe heimkehrenden Schwager und Bruder, den Kuchenduft in die Küche lockte. Fritz hatte nicht das Gefühl zu stören. Da ihm jede Gesellschaft recht war, hatte der Gedanke, daß er irgend jemandem nicht willkommen sein könnte, sich in ihm noch nie geregt. Von Bier beflügelt, schwatzte er heftig drauflos, von Geschäften vorwiegend, die er mit Heu und Rüben und Schweinen zu machen vorhatte (wozu er aber nie kam), und lobte so lange den Backduft, bis Elke den frischen Kuchen holte und sogar auch noch Kaffee kochte, für alle drei. Pötsch war zu glücklich, um ärgerlich werden zu können. Zum Vortäuschen echt wirkender Müdigkeit war er aber durchaus in der Lage. Fritz, der es sich nicht vorzustellen vermochte, wie ihm um sechs Uhr morgens, wenn er wieder auf seinem Trecker saß, zumute sein würde, protestierte vergeblich gegen den plötzlichen Aufbruch.

Zur Behandlung des vierten Punktes jedoch kam es beim Ehepaar vorläufig noch nicht. Der Ort (das Schlafzimmer nämlich), Worte, Gesten und Pflanzen bewirkten zusammen eine längere Verzögerung

des Gesprächs. Auf dem Gedankenumweg über Menzels Rasen fielen Pötsch die Alpenveilchen wieder ein. Der Frau des Professors hatte er sie nicht überreichen können, nun bekam seine eigne sie. Da sie nicht wußte (auch nie erfuhr), daß sie nicht für sie gekauft worden waren, setzte sich in ihr der Gedanke: Er hat in Berlin nicht nur an Schwedenow, sondern auch an mich gedacht! in Bewegungen um, die sie erst nahe an ihn heran und dann zu Zärtlichkeiten führten, an die sich die beiden jetzt erst wieder erinnerten.

Überraschend und beglückend war die nächste halbe Stunde. Doch als aus dem Paar wieder zwei einzelne wurden und in den Leerraum, den die schwindende Lust hinterläßt, die Gedanken nachströmten, entfernten sich beide mehr und mehr voneinander, ohne davon zu wissen. Während in ihm die vorherige Hochstimmung weiter wirkte, ihn gedanklich schon die lichten Höhen des Ruhms hinauf wandeln ließ, fand sie sich in einem Seelentief wieder, das aus Sehnsucht, Mißtrauen und Angst bestand. Bei ihm hatte nur geistige Hochstimmung sich körperlich entladen, um dann weiter zu wirken wie zuvor. In ihr aber hatte sich etwas verändert, das sie verwirrte. Neues hatte begonnen; noch wußte sie nicht, ob neues Gutes oder neues Böses. Sie hatte etwas verloren: ihre Sicherheit nämlich. Wäre sie fähig gewesen zu reden, hätte sie Unmögliches von ihm verlangt, Liebesschwüre zum Beispiel oder die Versicherung, daß er erneutes Versanden von Gefühlen nicht mehr zulassen würde. Doch sie war sprachlos, wartete darauf, daß wenigstens eine Bewegung seiner Hand nach ihrem Haar ihr ein Zeichen dafür gäbe, daß sie für ihn noch existierte, und wurde sich dabei des Unglücks schon bewußt, das darin lag, solche Art Sehnsucht bei solcher Art Mann wieder zu empfinden. Sie verbot sich das, rief sich zur Ordnung, empfahl sich Nüchternheit, besann sich auf Erfahrung. Mißtrauen kam ihr zu Hilfe, Angst vor Änderung. Das Stichwort dafür hieß Berlin. Wenn zwischen seiner Frage bei der Ankunft und den Alpenveilchen ein Zusammenhang bestand, war seine Absicht ernster als sie angenommen hatte, dann war rhetorisch an der Frage nur die Form gewesen, dann hieß das also: Wir ziehen nach Berlin! Dann waren die Blumen nur dazu bestimmt, sie weich zu stimmen, die jäh verebbte Zärtlichkeit nichts als Methode, Widerstand in ihr zu töten ehe er begann.

Pötsch ahnte nicht, was allein schon eine Geste für seine Frau in diesem Augenblick bedeutet hätte. Seine Hand, die sie auf ihrem Haar erwartete, streichelte die Borsten seines eignen Kinns. Seine Gedanken, die sich Sekunden später schon zu Worten formten, waren nicht bei ihr, sondern bei Professor Menzel, dessen vierten Programmpunkt zu erläutern jetzt doch endlich an der Reihe war.

Als wäre ihr Gespräch durch nichts als Fritzens Heimkehr aus der Kneipe unterbrochen worden, setzte er nun die Erzählung mit dem Wichtigsten von all dem Wichtigen fort, mit dem Angebot des

Professors nämlich, aus dem Freizeit-Forscher einen Wissenschaftler zu machen, Pötsch also an sein Institut zu holen. »Begreifst du, was das für mich bedeutet, Elke?«

Das begriff sie wohl. Doch da sie auch begriff, was das für sie selbst bedeutete, und sie außerdem noch immer damit beschäftigt war, die Hoffnungen, die wenige Minuten vorher in ihr gewachsen waren, wieder in sich zu versenken, konnte sie es noch nicht sagen, was aber ihn nicht störte, sondern nur veranlaßte, ihr Einzelheiten näher zu erörtern, von der geringen Unsicherheit zu reden, die noch bestand, (nicht etwa seinetwegen, er hatte sofort angenommen) und zu erklären, um welches Institut es sich dabei handelte.

»Hast du vielleicht schon vom ZIHH gehört oder vom ZIHiHi? Nein? Ich auch noch nicht bis heute Nachmittag. Dann ist dir wohl auch das MP noch nicht begegnet. So wird die neue Arbeitsstelle deines Mannes nämlich (in der er übrigens dann bald promovieren muß) flüsternd, hinter vorgehaltener Hand genannt. Ich will es dir erklären. Z heißt zentral, einmalig in der Republik, zu keiner Universität, zu keiner anderen Einrichtung gehörend. I ist ja klar. Zwischen dem einen und dem anderen Hi mußt du dir ein Und denken. Und wenn du weißt, daß der, um den es geht, der Schwedenow also, Geschichtsschreiber war, und Geschichtsschreibung bekanntlich auch Historiographie heißt, hast du das erste Hi schon heraus. Schwieriger steht es mit dem zweiten, das mit deinem Mann zu tun hat, der Ge-

schichte in der Schule gibt und also etwas wissen
muß von der Lehrbarkeit der Historie: der Historiomathie. Zentralinstitut für Historiographie und
Historiomathie heißt das Ding also und schwebt
über allem was Geschichte erforscht und schreibt
und lehrt, von der Hochschule bis hin zur Fachzeit-
schrift. Es füllt die Lücke, die zwischen diesen Ein-
richtungen und dem Ministerium klaffte, bis der
Professor sie als erster sah oder, wie Lästerzungen
reden, sie die Oberen zu sehen lehrte. Denn das
auf Universitäts- und Akademiekorridoren geflü-
sterte MP kürzt eine Gemeinheit ab, die Menzels
Pfründe heißt. Das Hinreißende dieses Mannes
aber ist, daß er selbst es mir erzählt – und darüber
herzlich lachen kann.«

8. Kapitel

Interpretationen

Drei Wochen später schon konnte Pötsch das innere
Bild, das er sich vom Institutsgebäude entworfen
hatte, korrigieren. Er hatte sich Repräsentatives
vorgestellt, nicht unbedingt Säulen vorm Portal,
aber doch wenigstens mit großer Glastür und weit-
hin sichtbarer Beschriftung. Nun fand er ein schä-
biges Bürohaus, das sich das *ZIHH* mit Handels-
firmen, Redaktionen und Kontoren teilen mußte.
Die kleine Holztür war beklebt mit Hinweisschil-
dern. Eine Wandzeitung im Treppenflur versprach
höhere Produktion von Plaste und Elaste. Die fen-

sterlosen Gänge rochen intensiv nach Bratensoße. Er kam zur Mittagszeit und mußte warten.

Daß sein Name der Sekretärin, die ihn auf einen Besucherstuhl verwies, nichts sagte, fand er selbstverständlich, die uninteressierte Stummheit aber, mit der seine Bemerkung, er sei zum Institutsleiter bestellt, aufgenommen wurde, irritierte ihn, weil er sich darauf vorbereitet hatte, ausgefragt zu werden. Bestellt zu sein, konnte schließlich jedermann behaupten und dann des Professors kostbare Zeit mit Unwesentlichem stören. Eine Frage nach der Bestellzeit war das Mindeste, das er erwartet hatte. Ab Mittag, hätte seine Antwort gelautet, die nicht ohne Stolz gewesen wäre, weil er es für ein Zeichen von Vertrautheit hielt, daß der Professor genaue Stunden und Minuten nicht angegeben hatte.

Das Wort Vertrautheit zu denken, war so abwegig nicht für einen, den der Professor in den letzten 20 Tagen fünfmal (übers Telefon der Schule) angerufen hatte, zum erstenmal schon 18 Stunden nach Pötschs Besuch im Orkus, um ein Uhr mittags also, in der letzten Pause. Menzel hatte wissen wollen, wie Pötsch (der bisher nur wahllos darin geblättert hatte) sein »Märkischer Jakobiner« gefiel.

»Ausgezeichnet« hatte Pötsch gesagt und war, obwohl er sich lügend nicht gefiel, doch stolz auf seine Reaktionsfähigkeit gewesen.

»Auf welcher Seite sind Sie?«

Pötsch hatte bald begriffen, daß dem Professor unmöglich war, sich vorzustellen, daß einer, der sein Manuskript in Händen hielt, sich durch Beruf und Schlaf abhalten lassen konnte, es zu lesen, und hatte schnell gesagt: »Auf Seite 63 leider erst.«

»Die Abrechnung mit Gentz haben Sie also schon gelesen. Habe ich den brillant erledigt oder nicht?«

»Brillant ist genau das richtige Wort dafür.«

»Freut mich zu hören, wirklich, freut mich sehr! Dann also noch viel Spaß bei den 530 Seiten und auf Wiederhören!«

So einfach ist das also, hatte Pötsch gedacht, als der erste Schreck vorbei gewesen war. Bei den folgenden Telefonaten dieser Art war seine Lage besser gewesen. Den tatsächlichen Stand seiner Lesearbeit hatte er dann nicht mehr zu verschweigen brauchen, und folglich immer gewußt, was es gewesen war, das Menzel an sich rühmte. Wenn zusätzlich noch die Frage nach unrichtigen Details gekommen war, hatte er dem Professor auch mal was Neues sagen können. Nach kritischem Urteil hatte Menzel nicht gefragt und auch nie Lücken zwischen seinen Worten gelassen, die groß genug gewesen waren, um es einzuschieben. Für kleine Lücken aber hätte Pötsch genauer wissen müssen, was ihm nicht gefiel. Denn nur klare Gedanken konnte er in Kürze äußern. Seine Kritik jedoch war höchst verworren. Von Seite zu Seite war ihm unwohler geworden, aber seine Menzel-Verehrung war so groß, daß er sich dagegen sträubte, dieses Unwohlsein zu definieren. Es ist bekanntlich schwer zu tadeln, wo man loben will.

Beim fünften Anruf dann hatte Pötsch melden können, daß Lektüre, Korrektur und Kontrolldurchsicht beendet waren, und Menzel hatte ihn ins Institut bestellt. »Ab Mittag bin ich dort.«

Nun war es Mittag. Man roch es, und man sah es der Sekretärin an, die sich von Knäckebrot ernährte, Zeitung las und weder Worte noch Blicke für den Besucher hatte, der so früh gekommen war, um die Gesprächszeit möglichst zu verlängern. Standen doch nicht nur, was schon viel war, seine Verbesserungen zur Debatte; er wollte auch mit helfender Kritik zur Hand sein, nur in einer Sache, die ihn besonders anging. Leicht würde das nicht sein. Er wollte Menzel nicht verletzen, wollte Bedenken deshalb in Fragen kleiden. Menzel sollte zu helfen glauben, wenn in Wahrheit ihm geholfen wurde.

Schlüsselgeräusche vom Gang her schienen der Sekretärin ein Signal zu sein, sich Pötschs wieder zu erinnern. Sie schickte ihn ein Stockwerk höher, wo eine Dame ihn begrüßte, die bunt gekleidet, bunt bemalt und sehr gefühlvoll war. Pötsch fühlte sich bedrückt durch ihre Stattlichkeit. Ihr warmer, mütterlicher Ton, der wohl dazu bestimmt war, seine Schüchternheit zu mildern, verstärkte sie. So lange hielt sie seine Hand, bis sie wußte, wer er war und was er wollte, und in den Minuten, die noch vergingen bis Dr. Albin vom Mittagessen wiederkam, erfuhr er über Menzel, den er versuchte ins Gespräch zu bringen, nichts, doch alles Wissenswerte über sie, Frau Dr. Eggenfels, die Menzels rechte Hand bei allen jenen Dingen war, deren Behandlung Feingefühl und Charme erforderten. Sie hatte sich von einem Kellerkind (unter dem Pötsch sich nichts vorzustellen vermochte), nicht ohne Menzels Hilfe, zur promovierten Wissenschaftlerin mit drei stark beachteten Publikationen emporgearbeitet und war (was Pötsch ihrer mütterlichen Aura wegen verwunderte) nicht mal so alt wie er.

Pötsch fragte sich, während er bestrebt war, den Blicken dieser großen, feuchten Augen auszuweichen, ob die Beklemmung, die ihn in diesen Räumen überfiel, verginge, wenn er hier seßhaft wäre und allen Damen wohlbekannt. Antwort auf diese Frage konnte er sich auch nicht geben, als er drei Stunden später dieses Haus verließ. Die Lage der auf drei Etagen verteilten Räume, in denen er sich aufgehalten hatte, war ihm so unklar wie sein Verhältnis zu den Leuten, denen er begegnet war.

Dr. Albin, der sich Menzels Stellvertreter nannte, in Wahrheit aber eine Art Verwaltungs- und Personalchef war, wußte über Menzels Absicht, Pötsch zu sehen, Bescheid. Er sagt höflich: »Ich freue mich, Herr Pötsch«, und unterrichtete ihn davon, daß der Professor zwar im Hause war, doch viel zu tun hatte und Pötsch deshalb bat, die Korrekturen mit seinem Mitarbeiter, dem Kollegen Brattke, zu besprechen, bis er selbst Zeit finde, ihn zu sehen. Albin dirigierte Pötsch in den Besuchersessel, nahm an seinem Schreibtisch Platz und telefonierte mit dem Kollegen Brattke, den er in einem Tone duzte, als sage er Mein Herr! zu ihm. Auch wenn er nun zum zweitenmal Es freut mich! sagte, war von Freude nichts zu spüren. Er sagte, er freue sich,

Herrn Pötsch im Herbst als Kollegen begrüßen zu können, und meinte damit wohl: ausgesprochenen Widerwillen habe er nicht dagegen.

Pötschs heiße Freude über diese Bemerkung kühlte sich nicht ab durch Albins eisige Korrektheit. Sein wiederholtes Bemühen, die Freude in Worte zu fassen, füllte die Zeit bis zu Brattkes Auftritt, der akustisch kaum vernehmbar, visuell jedoch aufsehenerregend war.

Brattkes Schritte waren lautlos, weil er Filzhalbstiefel an den großen Füßen trug. Mit Dr. Albin redete er nicht, mit Pötsch nur murmelnd, Grußworte sicher, verbunden mit der Aufforderung, ihn zu begleiten. Dann wandte er sich schon zum Gehen, sichtlich bestrebt, des Doktors Zimmer eilends wieder zu verlassen. Pötsch fand kaum Zeit, mit Albin Abschiedshöflichkeiten auszutauschen.

Aufsehenerregend an Brattkes Anblick war vor allem seine Körperlänge. Um nicht so groß zu wirken, wie er war, war er bestrebt, durch Rückenkrümmung den Kopf auf die Höhe der Normalgestalteten zu bringen. Das konnte jedoch genau so wenig von seiner Überlänge ablenken wie seine Originalitäten: der leise Filzschuh-Gang, der übergroße Pullover, der auch das Gesäß noch wärmte, und die Kette auf der Brust, an der die Lesebrille hing.

Die Originalitäten von Brattkes Arbeitszimmer, das nur durch ein Gewirr von Gängen und Stiegen zu erreichen war, bestand in seiner Unordentlichkeit. Der Raum war vollgestopft mit Büchern und

Papieren. Nur durch gewundene Gänge war der Schreibtisch zu erreichen. Der Besucherstuhl mußte aus Bücherbergen erst gegraben werden. Erstaunlicherweise dauerte die Suche nach Menzels Manuskript nur wenige Minuten.

»Na, dann mal los!« sagte Brattke, diesmal vernehmlich, in die Staubwolke hinein, die er durch das Aneinanderschlagen der Hefterdeckel erzeugt hatte.

Pötsch hatte nicht gewagt, die Korrekturen in Menzels Text gleich einzufügen. Er hatte sie in seiner klarsten Schrift auf Einzelblätter geschrieben und diese, wo sie hingehörten, eingelegt. Brattke hatte solche Skrupel nicht. Ohne Fragen, ohne Kommentare strich er aus und schrieb darüber, was ihm Pötsch diktierte. Es waren alles Kleinigkeiten, die als Vorschlag zu formulieren Pötsch bald aufgab, als er sah, daß Brattke alles wortlos akzeptierte. Nur ein paar Dinge, die ihm fraglich schienen, unterschlug er, um sie später dem Professor vorzutragen.

Erst als Brattkes Lesebrille wieder über dem Pullover an der Kette baumelte, begann er ein Gespräch, das Pötsch zu Anfang mehr als ein Verhör erschien.

Wie er es fände? Was? Das Buch des Chefs natürlich. Pötsch setzte mehrfach an, fand das Wort beachtlich, das er, weil es ihm viel zu klein erschien, durch großartig ersetzte. Doch da ihm dieses wiederum zu groß vorkam, versuchte er es durch ein Einerseits zu relativieren, wobei ihm Brattke gleich

63

ins Wort fiel und wissen wollte, was das Andererseits denn sei.

Pötsch war es nicht gegeben, schlicht mit: Ich weiß es nicht genau! zu antworten, und Brattke war so grausam, sein minutenlanges Drumherumgerede nicht zu unterbrechen. Er wartete bis die vielen halben und dreiviertel Sätze, die das Andererseits umkreisten, ohne es zu fassen, endeten und sagte: Nun wisse er, warum der Chef so von ihm schwärme.

Pötsch hörte das nicht ungern. Auf seinem Gesicht war es zu lesen. Er hätte gern gefragt: Macht er das wirklich?, um es noch einmal zu hören. Doch unterdrückte er die Frage, weil er spürte, daß Brattkes Bemerkung freundlich nicht gemeint war, eher spöttisch.

Brattke erklärte sich nicht näher. Er erhob sich, verließ leisen Schritts das Zimmer und kam mit einem Wasserkessel wieder, den er auf den Elektrokocher setzte, der verdeckt von Bücherstapeln vor dem Fenster stand. Während er hinter Reihen von Aktenordnern nach Teebüchse und Teekanne suchte, stellte er zwei Fragen: Ob Pötsch Tee gern trinke, und ob er, wie der Chef behaupte, tatsächlich Lehrer auf dem Lande sei?

Wenn das Gespräch der beiden den Verhörs- und Prüfungscharakter nicht so schnell verlor, so lag das in erster Linie wohl an Pötsch, dem Schüchternheit verbot, selbst das Thema zu bestimmen oder selbst zu fragen. Durch Inaktivität zwang er den anderen dazu, aktiv zu werden. Hinzu kam noch, daß seine schweigende Zurückhaltung Neugier weckte, die er dann wiederum genoß und eine Verpflichtung für sich darin sah, sie zu befriedigen. Er nickte also als Antwort auf die Tee-Frage nicht nur mit dem Kopf, sondern plauderte ausführlich (Zeit genug war ja, und das Thema bot ihm keine Schwierigkeiten) über seine Trinkgewohnheiten: Kaffee am Morgen und am Mittag, bei anstrengender Abend-Arbeit starker Tee. Die Frage aber nach Beruf und Wohnort faßte er als eine nach seinem Leben auf, erzählte auch von ihm, reduzierte es dabei aber, wie nicht anders zu erwarten, auf ein Privat-Gelehrten-Dasein, das Schwedenow gewidmet war.

Brattke stand am Kocher, hörte zu und stellte manchmal Zwischenfragen: Wie steht's mit Alkohol? Was halten Sie von den Geschichtslehrplänen? Was zieht Sie eigentlich in dieses Institut? Dann suchte er nach Tassen, dann nach Zucker. Die Löffel fand er nicht. Sie schütteten den Zucker aus der Dose und rührten mit dem Taschenmesser um.

»Kennen Sie Einhard?« fragte Brattke.

»Ich weiß nicht, doch ich glaube, daß . . .«

»Und Nithard?«

»Warten Sie mal, mir ist, als ob der Name mir schon begegnet wäre.«

»Einhard und Nithard: die beiden sind mein Schwedenow. Doch was ich tun muß, sehen Sie: in Menzels Schwarte falsche Kommas suchen, Fußnoten anbringen und Register machen.«

Pötsch begriff diesmal schnell, was Brattke

meinte. »Illusionen, wie Sie vielleicht denken, mache ich mir nicht. Ich weiß, wieviel ich lernen muß und freue mich darauf.«

»Sie ahnungsloser Engel!« sagte Brattke, setzte die Tasse an die Lippen, trank einen Schluck und schüttete noch einmal Zucker nach. »Was der Chef in mir nicht hat, sucht er verzweifelt, nämlich einen, der Frondienste freudig leistet und bei dem Verehrung kritisches Urteil unterdrückt.«

»Sie meinen mich damit?«

»Ich habe das Gefühl, daß man Sie warnen muß.«

Pötsch starrte in den Tee und dachte nach. Dann sagte er: »Wenn mir nur klarer wäre, was Sie damit sagen wollen! Mit Lust und Liebe zu arbeiten, halten Sie für schlecht?«

Nun grinste Brattke. Der Ausdruck Lust und Liebe schien ihm zu gefallen: »Mit Lust und Liebe dienen, meine ich! Den äußeren Zwang zu innerem Labsal machen! Die Fesseln nicht nur tragen, sondern auch noch mögen!«

»Sie meinen: der ist frei, der seiner Ketten spottet?«

»Nicht frei; jedoch er bleibt er selbst.«

Der arme Pötsch! Zwar hörte er gut zu (er wollte ja von jedem etwas lernen), trug zum Gespräch sogar nach bestem Wissen Zitatenhaftes bei, doch war ihm nicht ganz deutlich, was alles das mit ihm und diesem langen Herrn zu schaffen haben sollte. Er bat erst um Verzeihung, ehe er das sagte, worauf Herr Brattke sehr ausführlich dem Besucher das erläuterte, was er Seelenmechanismus

nannte. Glaubte man ihm, so waren die Hoffnungen, die Menzel Pötsch gemacht hatte, Ursache dafür, daß Pötsch Menzel so verehrte, die Verehrung
aber verhinderte Kritik, was soviel hieß wie die
Leibeigenschaft zu Geisteigenschaft zu machen. Er,
Brattke, dagegen hatte, und zwar von Anfang an,
darauf geachtet, daß ihm ein Freiraum immer
blieb. Der Zaun, der ihn vor fremdem Zugriff immer schützte, war Kritik, so stachelbewehrt, wie
irgend möglich war.

»Kritik, natürlich«, sagte Pötsch. »Man will doch
helfen, besser machen.«

»Menzel helfen?« Jetzt grinste Brattke wieder.
»In seinem Dunstkreis tut Selbsthilfe not.«

Schon wieder zuzugeben, daß er noch immer
nicht verstanden hatte, fiel Pötsch nicht leicht, doch
mußte er es tun. Vielleicht gäbe es ein Beispiel,
sagte er, woran Brattke ihm erklären könnte, was
er meinte.

Obgleich die Bewegungen, die Brattke darauf
machte, ganz gemächlich, gar nicht hastig waren
und sein Gesicht den überlegenen Ausdruck bei-
behielt, war ihm doch anzusehen, daß er auf dieses
Stichwort schon gewartet hatte. Statt etwas zu er-
widern, nahm er einen Schlüssel aus der Tasche,
öffnete damit ein Schreibtischfach und zog, nach
einem Schnapsglas, einem Kaffeefilter und einem
Locher, einige Bogen eng beschriebenen Papiers
hervor. Er schob die Brillenbügel über seine Ohren,
doch las er noch nicht vor, sondern erklärte: Er
triebe so was nicht zur Publizierung oder Archivie-

rung, es sei ihm Übung nur, Verstandestraining, das Resultat also Wegwerfkunst, doch dringend nötig für einen, der sich nach 600 Seiten Menzel eigner Denkfähigkeit versichern will. Habe er den Wälzer doch mehrmals durchkämmen müssen, so wie Pötsch es mußte.

»Wollte!« unterbrach hier Pötsch, doch Brattke nahm das nicht zur Kenntnis, erzählte weiter, bitteren Tons, von der Arbeit für den Chef, die er Spanndienst nannte, und war unversehens wieder bei seinem Einhard und bei Nithard, bei der »Vita Caroli Magni« und beim »Historiarum Libri«, beim neunten Jahrhundert also, in dem zu graben und zu ackern ihm sein Lehnsherr Gelegenheit nicht gab.

Pötsch wußte dazu nur »Ach so« zu sagen und ein trauriges Gesicht zu machen. Daß Geschichtsschreibung in Deutschland schon so früh begonnen hatte, war ihm neu, und er beschloß, es sich zu merken. Brattke trank noch einmal, schob die Brille höher und begann zu lesen. Er las schnell und leise, gar nicht eitel, erst eine Rezension, deren Sachkenntnis die Behauptung, er sei im Frühfeudalismus zu Hause, Lügen strafte:

Ein Vergessener in Überlebensgröße.

Was den Ruhm betrifft, geht es ungerecht zu: die Person, von der dieses Buch handelt, kennen nur wenige Spezialisten, die Person, die es schrieb, aber kennen Millionen vom Bildschirm her. Seit Jahren gibt der plaudernde Professor uns Lektionen in Geschichte, und ich kenne manchen, der, ließe man

68

die Sendereihe einschlafen, dem Fernsehfunk böse Briefe schriebe. Ich gehöre nicht zu ihnen, sondern zu den Meckerern, die sich keine Sendung entgehen lassen, um immer wieder feststellen zu können, daß etwas weniger Professorenwitz mehr gewesen wäre – mehr Geschichte nämlich und mehr Wissenschaft.

Kritikern wie mir hat der Professor es mit seinem Buch nun aber gegeben: 600 Seiten Gelehrsamkeit. Kein leichter Brocken, aber die Mühe lohnt. Menzel überzeugt: Das historische und dichterische Werk Max Schwedenows (1770–1813) der Vergangenheit zu entreißen war eine Notwendigkeit. Menzels Appell an das Gewissen der Nation sollte Interessierte dazu verführen, sich das Werk des progressiven Märkers vorzunehmen. Enttäuschen wird es nicht – nur wird rückblickend die Behandlung überraschen, die es bei Menzel erfährt. Mir gibt sein Buch, das alles und jedes ohne Rest erklärt, ein großes Rätsel auf: Wie ist es möglich, daß einer, der von Kunst etwas verstehen muß (sonst hätte er diese nicht entdeckt), so kunstfremd über sie schreiben kann? Des Rätsels Lösung weiß ich nicht, vermute nur, sie ist bei Menzel allein nicht zu finden, sie liegt tiefer oder, wenn man will, auch höher, bei der Ansicht nämlich, die Menzel nur extrem vertritt, man könne Dichtung (wie auch Leben) aus einer These erklären.

Menzels These lautet: Schwedenow hat die Ideen der Französischen Revolution in die Literatur der Befreiungskriege hinübergetragen. Das ist der

Kamm, über den er das ganze Werk schert, und wer es kennt, weiß, wie kurzgeschoren es aus dieser Schur herauskommt. Alle Widersprüche, Doppelbödigkeiten, aller Reiz und alle Schönheit sind dahin, alles Wilde ist gezähmt, jede Unebenheit geglättet. Was bleibt, ist im besten Fall noch heroisch, was gänzlich fehlt, ist Menschlichkeit.

Natürlich steht es jedem Professor frei, ein jedes Werk nur nach einer Seite hin zu untersuchen. Doch Menzel untersucht ja nicht, er dekretiert. Er fälscht zwar nicht (wenn er beweist, dann philologisch einwandfrei), er läßt nur weg, was ihm nicht wichtig ist; doch nicht wichtig heißt für ihn: was seine eine These nicht stützt oder ihr gar widerspricht.

Es geht nicht um den amusischen Fehlschluß, daß der politisch progressivste Dichter damit auch der größte ist (den wollen wir dem Historiker Menzel gern verzeihen) – es geht um die Methode, die Schule machen könnte, da sich bei kaum einem anderen die enorme Wissensfülle mit demagogischem Talent so schön verbindet wie bei ihm.

Ich sagte: Er beweist genau, doch nicht nur das: Er stellt auch unbewiesene Behauptungen auf, die er beim erstenmal sehr klar als unbewiesene bezeichnet – um sie dann hundertmal wie Beweise zu benutzen. Ein Beispiel: Schwedenows dunkle Herkunft nimmt er als fronbäuerliche an und argumentiert darauf mit dieser Annahme (die fragwürdig genug ist) so ausgiebig, daß schließlich Schlußfolgerungen zum Werk auf ihr allein basieren.

Ist diese Manipulation noch leicht durchschaubar, so erliegt, wer Schwedenow nicht kennt, der, die mit seinen Werken vorgenommen wird, mit »Barfus« beispielsweise. Diesem widmet Menzel fast die Hälfte seines Buches, 300 Seiten, etwa so viel, wie der Roman selbst hat. Nachdem er mit viel Akribie und Überzeugungskraft philosophische und literarische Traditionen, auf denen »Barfus« fußt, beschrieben hat, kommt er zur Interpretation, auf die vor allem er den kühnen Titel seines Buches stützt. Die Fabel des Romans ist nach ihm die: Auf einer Bildungsreise durch Europa wird der junge Graf Barfus zum Jakobiner, worauf seine reaktionäre Mutter sich selbst und sein Erbe, das Schloß Liepros, verbrennt; er kommt zurück, heiratet und bringt seine revolutionären Ideale in die preußische Erhebung gegen Napoleon ein. Ein politischer Roman also, denkt, wer ihn nicht kennt, und ist bestürzt, wenn er ihn liest. Denn er erlebt eine bezaubernde Liebesgeschichte zwischen Graf Barfus und Dorette, der Pastorentochter, die mit der Heimkehr von der Frankreich-Fahrt beginnt und mit der Hochzeit endet.

Das heißt nun nicht, daß Menzel sich erfindet, was er braucht, es steht schon alles da, auf seine Zitate kann man sich verlassen, leider aber auch auf seine Fähigkeit, sie aufzublasen bis zu einer Größe, die sie im Romangefüge gar nicht haben. Vielleicht ist der methodologische Gedanke des Hochschullehrer der: Um zu verhindern, daß der Leser die eine Stelle, an der von Revolution die

Rede ist, gar nicht bemerkt, behandelt er sie auf 45 Seiten. Die politischen Motive für die grausige Tat der geistesgestörten Mutter sind scharfsinnig konstruiert, wenn auch nicht überzeugend. Ich las bei Schwedenow nur Abscheu vor der beabsichtigten Mißheirat des Sohnes heraus – die schließlich keine wird, weil die Pastorentochter sich letztendlich als Hochgeborene entpuppt, was Menzel zwar nicht unterschlägt, aber (und das nehme ich ihm übel) in seine Interpretation nicht einbezieht, aus gutem Grund. Seine These von der Einbringung der Revolutionsideale in die preußische Erhebung könnte diese Tatsache nämlich zum Einsturz bringen, ja, mit Menzels Methode könnte man durch sie auch genau das Gegenteil beweisen: die Aussöhnung des Helden mit der alten Ordnung.

Daß große Dichtung solcher Behandlung trotzt, zeigt sich, wenn man sie liest. Dann preist man Menzel als Entdecker und vergißt über der Fülle, wie sträflich er diese verkleinert. Die Gefahr ist nur, daß einer, der in Literatur Leben sucht, nach Menzels Buch nach einem von Schwedenow gar nicht greift. Denn des Professors Lob ist eigentlich Schmähung. Wäre Schwedenow so, wie Menzel ihn sieht, gliche seine Wiedergeburt einer Totgeburt. Bei Schwedenow kommt ein Mathematiker vor, der alle Schönheit auf geometrische Form reduziert. Der wird mal der Eindimensionale, mal der Plattwurm, mal der Papiermensch genannt. Bei Menzel kommt er nicht vor, mich regte er zu folgendem Schlußbild an:

Festgefügt und solide ist das Fundament für das Denkmal. Dieses selbst ist überlebensgroß, doch aus Papier und dem, dessen Namen es trägt, nicht ähnlich. Wem aber sonst? Man kennt doch die Züge! Erst wenn man ans Fernsehen denkt, weiß man: dieses Papierdenkmal hat sein Erbauer sich selbst gesetzt.«

Brattke nahm die Lesebrille ab und sah Pötsch an. Der war verstört. Er hatte das Gefühl, daß er bei diesem Mann nicht sitzen durfte, schon gar nicht schweigend, ohne Widerspruch. Doch der fiel ihm nicht ein. Er wußte nicht: Fehlten ihm nur die Worte oder die Gedanken auch? Er hätte höchstens sagen können: Ich bin nicht Ihrer Meinung! oder ehrlicher: Ich will nicht Ihrer Meinung sein!

Viel Zeit zum Denken ließ ihm Brattke nicht. Er sagte: Und nun eine Parodie. Ich hoffe, Sie erkennen das berühmte Muster wieder. Zum Lachen sind Sie nicht verpflichtet. Das besorgte ich bei der Herstellung schon selbst. Also:

Rotkäppchens Aufruf zur nationalen Erhebung
Literaturinterpretation nach
Prof. Dr. Winfried Menzel.

Für den national-revolutionären Gehalt von Schwedenows wohl populärster Dichtung hat die bürgerliche Germanistik nie ein Organ gehabt. Wenn überhaupt, hat sie das »Rotkäppchen« als Kindermärchen interpretiert und sich damit inkompetent erklärt, in Fragen wahrer Literatur weiterhin mitzureden. Indem sie den Tatwillen dieser *größten politischen Satire des deutschen Sprachraums* ignorierte, hat sie sich selbst auf den Schindanger der Wissenschaftsgeschichte eskamotiert.

Was geschieht also wirklich in dieser zutiefst volkstümlichen und zugleich symbolträchtigen Dichtung? Um den Anfang verständlich zu machen, muß an den bereits zitierten Brief vom 9. November (!) 1799 erinnert werden, in dem Schwedenow von einem Gespräch mit Aristokraten berichtet, deren Mienen durch seine Worte immer säuerlicher wurden. Der poetischen Bildersprache Tribut zollend, benutzt er zur Verdeutlichung der Situation eine Metapher aus einem zutiefst bürgerlichen Produktionszweig, der Essigfabrikation. Das Ferment seiner Rede säuerte die Ausbeuterphysiognomien ein, heißt es sinngemäß, nur benutzt er statt des Begriffs Ferment die alte Bezeichnung Essigmutter. Welches Thema aber soll der von Gedanken an Revolution durchglühte Jüngling unter die Vertreter einer parasitären Oberschicht geschleudert haben, als das des Umsturzes, der demokratischen Tat? Die Essigmutter oder schlechthin: die Mutter war also für ihn *das* Bild für die Idee der Revolution.

Mit der Mutter aber beginnt die eigentliche Handlung dieser Dichtung. Sie – die Mutter – ist es, die die Solidaritätsaktion in Gang setzt. Sie gibt dem Kind die Richtlinien. Sie weist ihm den Weg. Sie empfiehlt zielstrebiges, prinzipientreues Handeln. ›Lauf nicht vom Wege ab . . . Guck nicht erst in allen Ecken herum.‹

Um auch dem Begriffsstutzigsten noch deutlich zu machen, daß hier die Revolution die Initialzündung gibt, hat Schwedenow den genialen Einfall, das Kind, das hier in Marsch gesetzt wird, ein Mädchen sein zu lassen, ein ›Ohne Hosen‹, ein Sansculotte also – der nicht (deutsches) Roggenbrot und Bier in seinem Körbchen hat, sondern (gut französisch) Weizenbrot und Wein!

Die Zeit Schwedenows ist auch die Zeit der Romantik, die den deutschen Wald entdeckt. In ihm steht die Hütte der Großmutter, unter deutschen Eichen, durch eine Nußhecke von der Welt geschieden. Ätzenden Spott gießt der Dichter über dieses Krähwinkelglück. Während der Wolf schon lüstern die Beute umschleicht, und die progressive junge Generation, keine Gefahr scheuend, unterwegs ist, liegt die Alte in ihrem Philisterbett, schläft, träumt, hat nicht einmal Kraft genug, die Tür zu öffnen. Ohne Gegenwehr läßt sie sich vom Wolf verschlingen. Nur hartgesottenste Ignoranz der reaktionären Germanistenclique kann hier das Läuten der Glocken von Jena und Auerstedt überhören.

Aber nicht nur über die gesellschaftlichen Zustände Deutschlands schwingt Schwedenow die Geißel. Scharf ist auch die Waffe seiner Ironie, wenn er vor den Dichterlingen warnt, die, statt um Volksrechte und nationale Befreiung zu ringen, nach der Blauen Blume suchen. Von tiefster Einsicht in die Manipulierungsmethoden despotischer Herrscher zeugt es, wenn er ausgerechnet den Wolf, der Napoleon verkörpert, dem Mädchen raten läßt: ›Sieh einmal die schönen Blumen, die ringsumher stehen, warum guckst du dich nicht um? Ich glaube, du hörst gar nicht, wie die Vöglein so lieblich singen?‹ Mit unüberbietbarer Schärfe und Genauigkeit sind hier Töne des ideologischen Klassenkampfes getroffen, wie sie noch hier und heute über den Äther zu uns gelangen.

Aber es kommt noch besser. Als nach der bekannten Szene von umwerfender Komik, in der das geflügelte Wort von Großmutters großem Maul fällt, Napoleon seinen Siegesrausch ausschläft und der bewaffnete Retter naht, ist das nicht etwa ein königlich-preußischer Polizist oder Grenadier, sondern ein Jäger. Die Assoziation mit Lützows wilder, verwegener Jagd liegt also nahe und ist von dem leidenschaftlichen Verkünder der Volksbewaffnung sicher beabsichtigt. Um aber keinen Zweifel daran aufkommen zu lassen, daß der Kampf um nationale Befreiung mit dem um soziale

Befreiung verbunden werden muß, schwingt der Dichter noch einmal demonstrativ das Banner der Revolution, indem er bei der Befreiungstat des Lützowers noch einmal eines der prägnantesten revolutionären Symbole, die Jakobinermütze, aufleben läßt. Der von hoher künstlerischer Meisterschaft zeugende Satz lautet: ›Als er aber ein paar Schnitte getan hatte, da sah er das rote Käppchen leuchten.‹ Das rote Käppchen! Sollte es ein Zufall sein, daß dieses signifikante Symbol zum Titel der Dichtung wurde? So war Max Schwedenow!

Probleme der Erhebung im doppelten Sinne standen seit dem Tilsiter Frieden auf der Tagesordnung der Geschichte. Indem Schwedenow es nicht nur theoretisch, sondern auch praktisch, als menschengestaltender Erzähler *und* Freiheitskrieger, mit ihnen aufnahm, wuchs er zu dem großen geistigen Führer empor, den die aufstrebende bürgerliche Klasse in schwerster Stunde brauchte.«

Bei dieser Lesung hatte Brattke manchmal aufgesehen und Pötsch beobachtet. Er wußte also über die Wirkung auf den Hörer schon Bescheid. Pötsch war nicht belustigt, diesmal aber auch nicht ratlos. Er war empört und fühlte sich dazu verpflichtet, die Empörung auch zu äußern. Es sei so billig, sagte er, das Strahlende zu schwärzen und das Erhabene in den Staub zu ziehen. Sein Schweigen von vorher war damit, fand er, wieder gutgemacht.

Brattke war nicht gekränkt. Sorgfältig verschloß er die Papiere wieder und begnügte sich mit der Bemerkung: Andere zu überzeugen, sei sein Ehrgeiz nicht; Beispiele seiner Denkungsart zu hören, habe schließlich Pötsch verlangt.

Auf dem Wege zum Professor war dann wieder Treppensteigen nötig. Auf den Gängen hatte Pötsch noch eine Frage. Wie fast immer, mußte er dazu nach Worten suchen, und, wie oft, fielen ihm dabei nicht eigne, sondern die von anderen ein. Die Frage, die er an den Langen stellte, hatte Menzel einmal ihm gestellt. Er hatte damals nur dazu geschwiegen, Brattke gab auch keine Antwort, stellte aber eine Gegenfrage, auf die es für Pötsch wieder keine Antwort gab.

»Gedenken Sie, Ihre Arbeit zu publizieren?«

»Können Sie mir vielleicht sagen, wo?«

Das Direktorzimmer verließ Brattke so schnell wie möglich wieder. »Man muß sich auch Frondeure leisten können«, sagte Menzel gutgelaunt. Er wandte sich gleich den Heftern mit den Korrekturen zu, warf einen Blick hinein und war sofort entzückt – von seinem eignen Text.

»Finden Sie nicht auch, daß der Exkurs über Berenhorst gelungen ist?«, so stimmte der Professor die Lobeshymnen an, die Pötsch zu singen hatte. Der sang sie gern, doch nicht so frohgemut wie früher, weil die Zeit so schnell verging und er die Korrekturprobleme besprechen wollte, die ihm unklar waren. Als es dann endlich dazu kam, dauerte dieser Teil der Audienz doch länger als Pötsch erwartet hatte; nicht seinetwegen (er durfte nur so lange reden, bis der Professor das Problem begriff), sondern weil Menzel an jede dieser Fragen

Referate knüpfte, druckreife Abschweifungen in die entlegendsten Gebiete, die aber immer haargenau am Schluß den Punkt trafen, der erläutert werden sollte. Pötsch saß mit offenem Mund dabei, staunte, freute sich und lernte viel. Wenn Menzel gar die künftige Zusammenarbeit erwähnte, röteten sich Pötschs Wangen und er nickte eifrig.

Das Gespräch war, bei der Begrüßung schon, auf eine Stunde nur befristet worden. Pötsch fürchtete bald, daß ihm keine Zeit mehr blieb, den kritischen Fingerzeig zu geben. Mal versuchte er vergeblich, ihn in Sachverwandtes einzustreuen, mal vergaß er ihn, dann wieder hatte er ihn einleitend schon artikuliert, wurde aber unterbrochen, da Menzel Vorausgegangenem noch eine Anekdote anschließen mußte, die ihn in neue Bereiche führte. Der Geist sprudelte nur so, und als er stockte, stand Menzel auf, die Zeit war um.

Doch zu den vielen guten Eigenschaften, die Pötsch besaß, gehörte auch Disziplin. Was er sich vornahm, führte er, wenn irgend möglich, aus. Er besiegte also seine Schüchternheit und brachte die Kritik noch an, als Menzel ihm schon die Hand zum Abschied reichte.

»Nur eine Frage noch. Was war der Grund für Sie, nicht zu erwähnen, daß Schwedenows Tod bei Lützen unbelegbar ist?«

»Das stört Sie?« fragte Menzel lächelnd und setzte Pötsch damit in Verlegenheit. Nichts als ein wahrheitsgemäßes Ich-weiß-nicht ... brachte er heraus. Gehofft hatte er, von Menzels Absichten

Genaueres zu erfahren, befürchtet ein wenig Ge-
kränktsein, nie aber hatte er Amüsiertheit erwartet.

»Jedes Buch«, sagte Menzel, ohne Pötschs Hand
freizugeben, »ist an eine Zielgruppe gerichtet. Für
Sie, Herr Pötsch, ist meines nicht geschrieben worden.«

Vorsichtshalber lächelte jetzt auch Pötsch. Falls
das ein Witz war, wollte er nicht aussehen wie
einer, der ihn nicht versteht.

»Sie wollen doch auch«, fuhr Menzel fort, »daß
Schwedenows Name bald die Lehrpläne ziert.«

»Das schon, doch . . .«

»Na, sehen Sie!«

Damit war er entlassen. Er war so durcheinander, daß er eine falsche Treppe wählte und sich im
Kohlenkeller wiederfand. Der Zustand der Ver-
wirrung verging bald wieder, doch Spuren blieben,
vorläufig unsichtbar.

9. Kapitel

Suche nach einem Grab

Leser, die aus Menzels letzten Äußerungen nicht
schlau geworden sind, machen es am besten wie
Pötsch: sie vergessen sie und sehen lieber mit ihm
den Freuden entgegen, die bis zum Beginn seiner In-
stituttätigkeit (so sachlich bezeichnete er immer den
Beginn seines neuen Lebens) noch vor ihm lagen.
Neben den Reden über seine frohe Zukunft, die

Elke schweigend ertrug, waren das (in aufsteigender Linie ihrer Bedeutung nach geordnet): Erstens, Vorstudien für seine wissenschaftliche Laufbahn, besonders die Geschichte der Geschichtswissenschaft betreffend; zweitens, Ausarbeitung des Schwedenow-Vortrags und drittens, als Schönstes und Aufregendstes, die Forschungen zu Schwedenows Tod.

Das alles wurde dann aber noch übertroffen von einer Freudenankündigung, die ihn im Vorfrühling telegraphisch erreichte.

An einem Apriltag, als im Vorgarten noch die letzten Schneeglöckchen blühten und die Kinder unter der noch nicht beseitigten Laubdecke die ersten Krokusse entdeckten, stellte nachmittags Frau Seegebrecht ihr Fahrrad am Tor ab und eilte über den Hof der Haustür zu, um sie schneller zu erreichen als Pötsch, der, von seiner Arbeitskammer kommend, die steile Stiege hinunter mußte, die große Geschwindigkeit nicht zuließ. Durch diesen Wettlauf entschied sich, ob die Übergabe des Telegramms (die so kurz und wortkarg wie in der Stadt nie sein konnte) auf Hof oder Flur, wie Pötsch es wollte, oder in der Küche stattfand, in die Frau Seegebrecht sofort vordrang, wenn sie nicht daran gehindert wurde. Denn Interessantes zu sehen gab es für sie dort immer. Ob das Mittagsgeschirr abgewaschen war oder Kuchen gebacken wurde, war für ihren Personalnachrichtendienst ebenso wichtig wie ein Gespräch unter vier Augen mit Omama Pötsch über die Haushaltsführung der

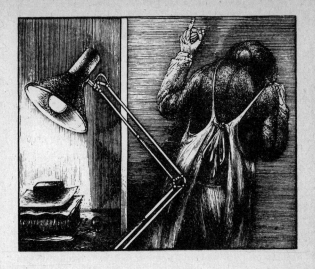

Schwiegertochter, das, blieb es ungestört, lange
dauern und manche Familienintimität ans Licht
ziehen konnte.

Da Pötsch auf der Suche nach einem Vortrags-
satz, der die Schwermut sommerlicher Kiefernwäl-
der wiedergeben konnte, seine Augen gerade über
diese schweifen ließ, hatte er die Postbotin heran-
radeln sehen und konnte so zeitig genug aufbre-
chen, um den Wettlauf zu gewinnen. Er fing sie
also auf dem Hof ab, wo der postfeindliche Hund
wütend an der Kette riß, und bekam das von Frau
Seegebrecht an ihn adressierte und vorschrifts-
mäßig verklebte Telegramm mit den beruhigenden
Worten: »Es ist nichts Schlimmes«, überreicht.

Die Beruhigung war gut gemeint und durchaus
berechtigt. Man muß schon lange mit Leuten, die

immer in Eile sind, immer Geld haben und sich gern telegraphisch verständigen, weil sie sich dabei kurz fassen können, umgegangen sein, um vor Telegrammen keine Angst mehr zu haben. Pötsch hatte sie noch, und seine Spannung, zwischen Furcht und Freude schwankend, war groß, größer aber noch seine Hemmung, Frau Seegebrecht die seelischen Reaktionen zu zeigen, auf die sie sichtlich wartete. Aber nur Dankeschön sagen und in seiner Kammer verschwinden, konnte er auch nicht. Schließlich war die Frau 30 Minuten über Sandwege geradelt.

Als er sich dazu entschlossen hatte, das Kuvert im Beisein der Postbotin nicht zu öffnen, lieber noch ein paar Worte über das Wetter und die Wege zu sagen, fragte sie lauernd, ob sie ein Antworttelegramm gleich mitnehmen sollte, und das wirkte auf ihn so suggestiv, daß er den Umschlag aufriß und mit dem gleichgültigsten Gesicht der Welt den erfreulichen Text las.

»Da wird Elke aber froh sein, was?« sagte Frau Seegebrecht stolz, als sei sie nicht Überbringerin, sondern Urheberin der Nachricht.

Darauf gar nicht zu reagieren, fand Pötsch von sich selbst gemein, aber er konnte nicht anders. Er murmelte noch etwas über verrückte Leute, die Telegramme schickten, wenn Briefe es auch tun würden und komplimentierte mit Reden über den unbefahrbaren Lieproser Weg die beleidigte Postfrau zum Hoftor hinaus. Dann aber raste er los, nicht zu seinem Satz über die schwermütigen Kiefern, sondern zu Elke, bei der er alle Freude aus sich herauslassen konnte.

Das Telegramm war von Menzel und lautete: »Am 15. Juni werde ich 50. Falls Sie es fertigbringen, auf Blumen und Geschenke zu verzichten, erwarte ich Ihre Frau und Sie um 19 Uhr. Ihr Menzel.«

Am Vortrag wurde an diesem Tage nicht mehr gearbeitet. Pötsch entwarf Antwortbriefe, die nie, wie sie sollten, witzig wurden. Schließlich wurde ein Telegramm daraus: »Vielen Dank. Wir kommen. Ihr Pötsch.« Dann begann das Geschenkverbot beunruhigende Wirkungen auszuüben. Elke wollte sich nicht danach richten, da sie die Schrekkensvision einer Gratulantenreihe hatte, in der jedermann Blumen und Geschenke trug bis auf das nackt dastehende Landehepaar Pötsch. Wenigstens ein Eventualgeschenk brauchte man, das man hervorziehen könnte, falls die Not groß würde. Ihr Mann dagegen wollte den Professor beim Wort nehmen, war aber Argumenten zugänglich. Nach langem Hin und Her kam ihm ein Einfall, der Kompromißcharakter hatte. Bis zum Geburtstag waren noch acht Wochen Zeit. Seine Forschungen zu Schwedenows Tod konnten bis dahin abgeschlossen sein. Wenn er dem Jubilar seinen Aufsatz überreichte, wäre das zwar eine Überraschung, aber kein Geschenk.

Da Elke Besseres nicht einfiel, gab sie sich zufrieden und versuchte, ihren Mann für ihre Kleidersorgen zu interessieren, was aber nicht gelang.

Wenn sie ihm vorführte, was sie hatte und für unmöglich hielt, sagte er: »Warum denn nicht?« und begann wieder über seine Studien zu reden, die ihm nicht schnell genug voran kamen.

Viel hatte er vor diesem Endspurt von acht Wochen schon erreicht. Das biographische Material aus zweiter Hand war schon gesichtet und geordnet. Er wußte nun, daß alle, die über Schwedenow geschrieben hatten, unkritisch nur aus einer Quelle schöpften: aus dem Vorwort zu den Briefen, das mit keinem Namen, nur mit einem M gezeichnet war. Bedenken waren einem nur gekommen, als er entdeckte, daß ein im letzten Brief zitiertes Gedicht von Körner Monate später erst im Druck erschienen war; doch hatte er die Richtigkeit des Sterbedatums nicht bezweifelt, vielmehr den Brief als Fälschung angesehen.

Nachschlagewerke aus der Zeit halfen auch nicht weiter. Wenn sie den Gesuchten überhaupt erwähnten, dann mit der Angabe »Im Feld geblieben 1813«, und nur das »Gelehrte Teutschland« setzte ein Fragezeichen hinter die Jahreszahl.

Pötschs nächster Umweg hatte übers Militär geführt. In Breslau hatte sich, den Briefen nach, von Schwedenow beim 4. Freiwilligen-Jäger-Regiment einschreiben lassen. Viele Mühen in Bibliotheken und Archiven hatte es erfordert, herauszufinden, daß dieses Regiment schon 1814 im regulären 28. Ulanen-Regiment aufgegangen war, dessen Geschichte fleißige Leute, erst zur Kaiserzeit, schön nicht, doch sehr genau, geschrieben hatten – und die des Freiwilligen-Regiments tatsächlich mit. Das brachte Pötsch den ersten Schritt voran. Dort nämlich waren sämtliche Verluste in allen Kriegen namentlich verzeichnet. Pötsch zitterten die Hände, als er die Seiten mit den Toten von 1812 bis 15 aufschlug. Die Schlacht bei Lützen hatte einen eigenen Abschnitt, doch der war der kleinste, sein Text mit winzigen Typen nur gesetzt, kaum lesbar: Als am Gefecht beteiligt gelte wohl das Regiment, doch sei es viel zu spät gekommen, habe keine Feindberührung mehr gehabt und keinen Verlust zu beklagen als den des Jägers Wilhelm Schüddekopf, der vom Bagagewagen überfahren wurde. Schluß.

An diesem Tag versäumte Pötsch den Abendzug und fuhr erst nachts. Gründlich wie er war, sah er die Listen aller toten Helden durch, die zwischen Moskau und Paris erst für den französischen Kaiser und den preußischen König, dann für den preußischen König und die Freiheit und schließlich für den preußischen König allein gestorben waren. Es waren viele. Aber ein von Schwedenow war nicht dabei. Nachdem er auch die Orte und die Daten, die in den Briefen eine Rolle spielten, mit denen der Regimentsgeschichte verglichen und sie bis ins Detail übereinstimmend gefunden hatte, so daß eine Verwechslung der Regimentsnummern ausgeschlossen war, machte er sofort noch den ersten Schritt in seinem zweiten Forschungsabschnitt, indem er die Offizierslisten, in denen ein von Schwedenow nicht vorkam, mit neuem Ziel noch einmal durchging – des Erfolgs schon sicher. Und tatsächlich ruhte bald sein Finger auf dem Namen des Gesuchten: Premier-Lieutenant Friedrich Wilhelm Maximilian von Massow, geb. 1770 in Schwedenow i. d. Kurmark, 1814 Rittm., 1815 ausg., gest. als Vize-Präs. d. Kgl. O.-Z.-K. 1820 in Berlin. Pötschs Glücksgefühl war groß.

Bis dorthin also war er schon gelangt, als die Acht-Wochen-Frist begann. Ihm war jetzt klar, daß seine Hypothese stimmte: Nicht der Dichter, nur sein angenommener Name war den Heldentod gestorben, er selbst lebte, die Vergangenheit verleugnend, unter angeborenem Namen weiter. Was noch fehlte, waren die Beweise.

Schlimm war für Pötsch, daß das Geschlecht von Massow weit verzweigt war, so daß sich immer wieder Fährten zeigten, die sich, nach vielen Mühen erst, als falsch erwiesen, ihn vorher sogar nach Polen lockten, wo sachkundige Archivare ihm raten konnten, wie in Berlin vorzugehen war. Dort kam er wieder einen Schritt voran. Er konnte feststellen, wo der Vize-Präsident des O.-Z.-K. am 14. November 1820 beerdigt worden war. Von der Vision beflügelt, in wenigen Minuten vor dem gesuchten Grab zu stehen, dessen Stein vielleicht sogar das Abkürzungs-Rätsel lösen könnte, orientierte er sich an einem Stadtplan und fuhr mit einem Taxi los. Es dauerte tatsächlich nur wenige Minuten – bis er vor einer Mauer stand, die höher war als Friedhofsmauern sonst. Ein Tor für ihn gab es in ihr genau so wenig wie eine Behörde, die seinen Antrag auch nur entgegenzunehmen bereit gewesen wäre. Die, zu der er ging, verstand ihn nicht. Er wolle nicht nach Westberlin, versicherte er immer wieder, er wolle nur ein Grab besehen, das, falls es noch existiere, dem Staat gehöre, dessen Bürger auch er wäre, nur hätte man den Friedhof leider abgesperrt, aus Sicherheitsgründen, ja, gewiß, er sei doch nicht dagegen, versichere aber, daß er die Sicherheit nicht gefährde. Hartnäckig wie er war, geriet er schließlich an einen Offizier, der zuhören konnte, ihn auch begriff, in dieser Hinsicht selbst machtlos war, jedoch bereit zu raten. Wenn überhaupt, dann wäre ein Erfolg nur über Dienstwege möglich, meinte er. Pötsch müßte bei dem Organ, für das er die Ermittlungen führte, einen Antrag stellen, der würde über die beiden zuständigen Ministerien laufen, das würde lange dauern, wäre wahrscheinlich erfolglos, aber der einzige Weg. Mit der Erklärung, er sei sein eignes Organ, machte Pötsch sich nur verdächtig und gab es auf. Die

Durchsicht von Büchern über Berliner Friedhöfe kostete ihn mehrere Tage. Ein Ergebnis brachte sie nicht.

Diese und ähnliche Enttäuschungen und Freuden füllten seine Ferien, seine Nachmittage, Wochenenden, Feiertage. Die Arbeit für die Schule nahm er nun sehr leicht, das heißt: er verschwendete, wenn er nach Unterrichtsschluß wieder auf seinem Fahrrad saß, keinen Gedanken mehr an sie. Das ging so weit, daß er fast vergessen hätte, dem Direktor seine Kündigung anzukündigen.

Elke sagte nichts dazu, als sie von ihrem Mann erfuhr, daß der Direktor die geplante Schulflucht nicht nur, wie erwartet, ungnädig aufgenommen, sondern rundweg abgeschlagen hatte, aber sie fühlte Hoffnungen in sich wachsen – die schon am nächsten Tag verkümmert waren. Pötsch nämlich versuchte nicht, die festen Volksbildungs-Gitter zu durchbrechen, er umging sie, lief also nicht Sturm, sondern zum Telefon und setzte einen Ferngesprächs-Ring in Bewegung, der über einen Professor, einen Minister namens Fritz, zwei Staatssekretäre und einen Kreisschulrat führend, dort wieder endete, wo er begonnen hatte, in Liepros also. Pötsch sprach, als er von dem Erfolg berichtete, von einem Draht nach oben, und Elke fand mit Recht, daß es ihm nicht gut stand, Professor Menzels Redensarten nachzuplappern.

Wichtig für ihn war aber an dem Vorgang nur der Zeitgewinn. Ein Einfall, der ihm nachts gekommen war, kostete ihn viele Stunden dieser Tage.

Es handelte sich um das Einfachste und Bequemste: in Bibliographien und Katalogen nachzusehen, ob es von diesem Massow Bücher gäbe. Die gab es, und zwar tatsächlich nur (Wie sich jetzt alles ineinander fügte!) zwischen 1815 und 1820, sogar erstaunlich viele, nämlich sieben, wenn auch nur Broschüren, auf deren letzter auch des Verfassers Rang angegeben und sein Amt unabgekürzt genannt war. Das rätselhafte O.-Z.-K. enthüllte sich als: Ober-Zensur-Kollegium. Die Komik, die in dieser Entdeckung lag, sah Pötsch nie, und lange dauerte es, bis er begriff, daß sich an der Wandlung dieser Person und ihres Werks die ganze unglückliche Entwicklung dieser Jahre darstellen ließ. Denn die politischen Broschüren Massows waren seinem Rang entsprechend. Eindeutig, wenn auch unausgesprochen, nahm der »Märkische Jakobiner« seine Jugend-Progressivität zurück und denunzierte nun in ekelhafter Weise revoltierende Studenten als Jakobiner.

Nach diesen Schriften, die Pötschs Hypothesen stützten, Beweise aber nicht erbrachten, wurde ihm (es war schon Anfang Juni) aus einer Gegend, in die er mal geschrieben, aus der er aber nichts erwartet hatte, ein wichtiger Fund noch zugetragen. Der Doppelbrief, der länger unterwegs gewesen war als einer auf dem Seeweg aus Australien, kam aus der Lüneburger Heide, von einem alten Mann, der Alfons Lepetit hieß, und enthielt einen fotokopierten Nachruf auf den Vizepräsidenten Massow. Lepetit hatte vor Jahrzehnten über »Wilhelm von Humboldt und die Karlsbader Beschlüsse von 1819« promoviert, Pötsch hatte die Dissertation gelesen und bei dem Doktor angefragt, ob ihm in seinem Umkreis der Zensor Massow mal begegnet wäre. Er war es, und Lepetit, schreibender Pensionär inzwischen, zeigte sich an Pötschs Wissen über Massow interessiert, eines Sammelbandes wegen, der »Restauration in Deutschland« heißen sollte. »Darf man dort denn publizieren?« fragte Pötsch, blieb aber ohne Antwort, da er nur sich und Elke danach fragte. Sein Brief in die Heide bestand aus vielen Fragen und der (von Vorsicht eingegebenen) Bemerkung, daß sein Beitrag zur Schwedenow-Massow-Forschung noch nicht fertig sei.

Einige Tage später war er es. Der Nachruf auf den seligen Herrn von Massow trug glänzend zur Abrundung von Pötschs Identitäts-Vermutung bei. Wie zu erwarten, war dort wenig über die Zeit bis 1813 gesagt. Von Reisen wurde da gesprochen und vom Aufenthalt in heimatlicher Landschaft, nicht fern vom Vaterhaus, wo »gelehrte und künstlerische Studien« getrieben worden waren. Dann aber war von einer Frau die Rede, der Massow 1815 die »Hand zum Ehebund reichte«, einer Elisabeth von Quandt, die aus der Altmark kam. Bei diesem Namen stutzte Pötsch, weil ihm nicht einfiel, wo ihm die Frau begegnet war. Am vierten Tag, er unterrichtete im Fach Geschichte über Jan Hus, brachte das Wort Böhmen eine Assoziationskettenreaktion in Gang, die ihn zu der Stelle führte, wo er suchen mußte, zu den gedruckten Briefen

Schwedenows, wo eine E. erwähnt wird, die aus Franzensbad ihm liebevolle Briefe schreibt, ihm nach Breslau nachreist und beim Abmarsch des Regiments bittere Tränen weint. Im letzten Brief erst wird ihre Anonymität halb gelüftet und zwar so: »Du fragst nach ihrem Namen, bester Freund: Elisabeth von Q. heißt sie; doch wird sie diesen Namen, wenn Gott uns hilft, nicht länger führen als bis zu meiner Heimkehr.«

»Zwei Jahre hat sie doch noch warten müssen«, rief Pötsch triumphierend, als er Elke diese Stelle zeigte. Dann las er stolz die letzten Seiten seiner Arbeit vor, in denen er zusammenfaßte, was alles für die Identität von Schwedenow und Massow sprach. Wenn letzte Beweise auch fehlten, war die Argumentation doch überzeugend.

Elke gratulierte ihm und teilte seine Freude – weniger des Erfolges, als der durch ihn erzeugten Fröhlichkeit des Mannes wegen, die den Kindern und auch ihr zugute kam.

10. Kapitel

Klein-Winnie

Diktaturen der Mode wirken wie andere auch: Erst zwingen sie zur äußerlichen Unterwerfung, dann folgt, nach einer Periode der Gewöhnung, die Verinnerlichung. Was einst Zwang war, wird nun freier Wille. Was einmal ungewöhnlich, häßlich, komisch wirkte, ist nun schön. Bei einem geht das langsamer, beim andern schneller, manche werden sich des Wechsels kaum bewußt und wissen gar nicht, wie willfährig sie dem Zeitgeschmack gehorchen. Besonders wenn man alte Bilder, alte Filme sieht, von denen nicht zu leugnen ist, daß sie einmal dem eignen Schönheitssinn entsprochen haben, packt den das Grauen, dem Autonomie des Denkens und des Fühlens etwas gilt. Andere finden alles Unmoderne immer wieder einfach komisch und leben allezeit in dem Gefühl, nicht modisch, sondern richtig zu empfinden.

Einmal nur, als Kind, wächst man in aller Unschuld in eine Mode hinein, die man natürlich für die einzige und richtige nimmt. Der erste Wechsel, der bewußt erlebt wird, ist bedeutsam. Man wirft das Alte weg, es gilt dann als Geschmack der Väter, als überholt, verächtlich, später lächerlich, man greift begierig nach dem Neuen, dem Eignen, wie man meint, man revoltiert – und ist in Wahrheit doch schon wieder Konformist. Der alten Diktatur sagt man den Kampf an, weil man sich der neuen schon wieder unterworfen hat.

Nun lebt man heutzutage aber länger als die Moden, und sehr viel Anpassungsfreudigkeit gehört dazu, in jeder wieder mitzutun. Das kann nicht jeder. Bei den meisten hat Labilität doch ihre Grenzen, die bleiben dann bei der erreichten zweiten Phase stehen und versuchen später, bei neuen Wechseln nur mit Variationen auszukommen. Da Mode nur in Beziehung zu anderen einen Sinn hat, gelingt das am besten, wenn man einsam lebt, nach andern nicht fragt oder mit Leuten umgeht, die so wenig Zeit für Modefragen haben wie man selber.

Pötschs dunkler Anzug hatte ihm seit mehr als zehn Jahren bei Jugendweihen, Konfirmationen, Beerdigungen, Tanzvergnügen und Familiengeburtstagsfesten gut gestanden. Jetzt entdeckte Elke plötzlich, daß er auf keinen Fall mit diesen engen Hosen, diesen spitzen Schuhen, mit diesem Schnürsenkel von Krawatte zu Menzel gehen konnte. Erst wurde er gereizt und wollte gar nichts davon hören, dann unsicher, und schließlich bat er sie, zum Einkauf mit ihm in die Stadt zu fahren. Groß war die Auswahl nicht, nur Weniges gefiel ihm, und das war nicht in seiner Größe da. Müde und verärgert kamen sie am Abend aus Beeskow zurück und fuhren Tage später nach Berlin, wo sie von einem Geschäft zum anderen hetzten, um schließlich das zu kaufen, was sie im ersten schon gesehen hatten: einen Anzug und ein langes Kleid. Während Elke abends mal dies, mal jenes anprobierte, auch Spaß daran hatte, das Schminken wieder zu üben, zog Pötsch die neugekauften Sachen erst an Menzels Festtag wieder an und fühlte sich verkleidet wie ein Clown.

Um vier Uhr kam das Taxi, um das feingemachte Paar zur Bahn zu fahren. Die Kinder fanden ihre Eltern komisch. Mutters Parfümduft nannten sie Gestank. Omama schüttelte besorgt den Kopf ob dieser Extratouren, die nie Gutes brächten. Pötsch hatte eine große Reisetasche mit. Neben dem sauber geschriebenen und gehefteten Aufsatz waren eine

Taschenlampe und Elkes Stiefel (für den nächtlichen Heimweg) darin.

Es war ein Wochentag. Im Zug saßen sie unter Arbeitern aus den Dörfern, die zur Nachtschicht fuhren. Mit einigen von ihnen war Pötsch als Kind zur Schule gegangen, andere waren ehemalige Schüler von ihm. Sie vermuteten, daß Pötschs zu einer Hochzeit führen. Er wollte es der Einfachheit halber bestätigen, aber Elke erzählte, wie es sich wirklich verhielt und machte Eindruck, da einer Menzel aus dem Fernsehen kannte. Ein anderer, der sich für informiert hielt, behauptete, die Damen dieser Gesellschaft würden alle in knöchellangen Kleidern kommen. Da führte Elke ihres, das sie, um nicht aufzufallen, unter den Mantel hochgebunden hatte, vor. Es gab Beifall wie auf einer Modenschau. Man fand sie schön und sagte es. Das freute sie, doch half es ihr gegen ihre Unsicherheit wenig; denn in dieser Hinsicht waren weder Pötsch noch diese Männer kompetent.

Sie gingen schweigend durch die Villensiedlung, die auch alltags feiertäglich aussah. Rosen dufteten. Wassersprenger schickten Wellen feuchter Kühle über die Wege. Dezenten Tons summten Rasenmäher. Familien saßen auf Terrassen, Musik ertönte, Kinder lachten. Die Männer, die, von der Arbeit kommend, aus den Autos stiegen, waren gekleidet wie Geburtstagsgäste. Elke, durch die Einkäufe der letzten Wochen erfahren, begutachtete den Schnitt der Hosen, die Hemdkragen, Farbe und Breite der Krawatten. Weder in Beeskow noch in Berliner Kaufhäusern hatte sie ähnlich Gutes gesehen. Sie gingen langsam, um nicht zu pünktlich zu kommen. Auf keinen Fall wollten sie die ersten sein.

Professor Menzels Haus war schon von weitem an den vielen Autos kenntlich, die vor ihm parkten. Kleinwagen waren nicht dabei, wohl aber ein riesengroßer schwarzer. Taxis fuhren vor und luden Gäste aus. Wenn sich die Autotüren öffneten, wurden erst die Schuhe der Damen sichtbar (goldene, silberne darunter), dann die Beine, über denen Hände Röcke rafften – die übrigens nicht alle lang waren. Außer den Pötschs kam niemand zu Fuß.

Sie gingen langsamer, um den Andrang abflauen zu lassen. Sie kannten niemanden und hätten mit ihrer großen Reisetasche, ohne aufzufallen, auch vorbeigehen können. Elke hatte große Lust dazu. Der Acht-Uhr-Zug war noch zu erreichen. Hier fühlte sie sich überflüssig und den Anforderungen

nicht gewachsen. Sie sah die Selbstverständlichkeit, die Eleganz, mit der die Gäste sich bewegten. Daß manche sehr salopp gekleidet waren, einige Männer nicht mal Schlipse trugen, half wenig, im Gegenteil: sie sah daran, wie sehr sie sich in diesem Kreis zu Hause fühlten – was ihr nie gelingen konnte. Schon vom Taxi her winkte man fröhlich Frau Menzel zu, die am Gartentor stand. Einige Männer küßten ihr die Hand, Frauen umarmten sie. Man redete laut und ungezwungen durcheinander. Steif, ungehobelt kam sie sich denen gegenüber vor. Um dieses Unterlegenheitsgefühl zu kompensieren, rettete sie sich in Trotz. In den Sekunden, bevor sie Frau Menzel höflich lächelnd grüßte, glaubte sie die Kluft zu sehen, die sie und ihresgleichen von diesen hier trennte. Unter ihnen war sie eine Fremde. Die Leute hier waren nicht nur anders angezogen, sie bewegten sich auch anders, redeten in einer Sprache, die sie wohl verstand, aber nicht benutzen konnte. Es waren Bewohner einer Welt, die sie nur aus dem Fernsehen kannte. Sie waren es, die auf Kongressen saßen, die Reden hielten, in Beratungspausen in Kameras lächelten, von Gangways winkten, auf jede Frage eine Antwort wußten, die Flugzeuge wie andere Leute Straßenbahnen benutzten, die immer freundlich waren, immer Zuversicht ausstrahlten, die in Moskau so zu Hause waren, wie sie nicht in Berlin, die aber auch nach Frankfurt, Cannes, Venedig reisten, ohne ihrer Privilegien sich zu schämen. Sie strotzten nur so vor Sicherheit, weil sie sich ihrer Wichtigkeit be-

wußt waren. In einen Zustand, in dem sie – Elke –
jetzt war, konnten diese Leute nie geraten. Selbst
wenn sie ihren Kreis verließen, waren sie nicht
fremd, nicht unterlegen. Durch ihre Intelligenz,
durch ihre Planung war alles ja so gut geworden,
wie es war: Kühlschrank und Fernsehapparat in
jedem Haus, das Auto in manchem umgebauten
Pferdestall. Sie waren die Missionare, die den Ur-
einwohnern raten konnten, ihnen kostenlos auch
die nötige Kultur noch brachten, die stolz waren
auf diese pflichttreuen Menschen, die nachts in
Schnee und Regen ins übernächste Dorf zur Früh-
schicht in den modernsten aller Rinderställe fuhren,
die morgens in den Bussen, die sie ins Kombinat
beförderten, fest schliefen. Elke wurde immer un-
gerechter. Sie fragte sich, ob das süße Kind, von
dem die übergroße Frau dort erzählte, auch so süß
wäre, wenn es im Winter täglich unausgeschlafen
mit dem überfüllten Sechs-Uhr-Zug zum Kinder-
garten befördert würde. Sie stellte sich jene heraus-
geputzte alte Dame in der Sommerhitze an der
Bushaltestelle vor, wenn sie in die Kreisstadt zum
Zahnarzt mußte, diesen Schönling als Heizer in der
Schule, den Minister nach Feierabend in der vol-
len Straßenbahn. Letzteres wäre vielleicht zu viel
verlangt: aber er könnte sich bei seinem Gehalt
vielleicht ein eigenes billiges Auto halten, dachte
Elke noch schnell, als sich ihre Lippen schon zum
Begrüßungslächeln verzogen. Doch sie lächelte ins
Leere, da vorerst nur Pötsch begrüßt wurde.

Frau Menzel reichte ihm die Hand in einer

Weise, die deutlich machte, daß sie einen Handkuß nicht erwartete, und war, wie sie sagte, sicher, daß ihr Mann sich freuen würde. Pötsch hatte ihre Hand schon fast in seiner, als ihm noch einfiel, daß Elke erst vorzustellen war. Er tat es so ungeschickt wie möglich, und Elkes festgefrorenes Lächeln konnte endlich auftauen.

Sie redete sogar mit der Frau Doktor, einen Satz über das Wetter erst, einen zweiten über die Rosen und den dritten über ihre Riesenreisetasche, in der nicht etwa verbotene Geschenke waren, sondern Stiefel für den weiten Heimweg. Frau Menzel erinnerte sich der schlechten Wege, aus deren Tükken Pötsch sie gerettet hatte, und fand es klug von den beiden, daß sie den Wagen in der Garage gelassen hatten. Elke hielt es nicht der Mühe wert, den Irrtum zu berichtigen.

Streng und grimmig stand Frau Spießbauch in der Haustür und wies den Ankommenden den Weg. Mit keiner Miene gab sie zu erkennen, daß sie Pötsch schon kannte. Sie nahm den beiden die Garderobe ab. Sie waren die einzigen, die etwas abzugeben hatten.

Das erste Zimmer war fast ausgeräumt. Auf den paar Sesseln, die vorhanden waren, saßen ältere Leute; die andern standen in Gruppen beisammen und redeten und lachten laut und viel. Elke fühlte sich in einen Film versetzt, den sie als unsichtbarer Zuschauer vielleicht genossen hätte. Als Mitspielerin war sie ungeeignet. Wollte sie nicht die Rolle der komischen Person vom Lande spielen, mußte sie sich möglichst unsichtbar machen. Sie drückte sich also in eine Ecke und fühlte sich elend. Festzustellen, daß alle Leute nur oberflächliches Zeug quatschten, daß viele edle Kleider unedle Körper schmückten und daß sie die Jüngste war, freute sie zwar, konnte sie aber nicht sicherer machen.

Sie hatte den Professor nie gesehen, doch war er leicht an den Gratulanten, die ihn umlagerten, zu erkennen. Wer an der Reihe war, hielt redend lange seine Hand und brach dann, bei der witzigen Entgegnung, die dem Professor für jeden einfiel, in Gelächter aus. Damen bekamen zum Abschluß einen Kuß von ihm. Elke konnte in dem Getöse zwar seine Stimme hören, doch nicht verstehen, was er sagte. Lustiges war es immer. Lustig war auch, wie er nach jedem Gratulationsakt versuchte, sich die Pfeife anzuzünden und doch nie dazu kam, weil der nächste Gratulant schon seine Hand beanspruchte. Dann steckte er hastig die Pfeife in die Tasche oder behielt sie im Mund bis der nächste Kuß nötig wurde.

Wie zu erwarten war, wurde das Geschenkverbot vielfach mißachtet. Schon füllten Blumen in kostbaren Vasen sämtliche Fensterbretter. Verzweifelt rief Frau Menzel, sie müßte schon Einweckgläser nehmen. Spaßig beschimpfte der Professor jeden Schenker, lauschte dann aber aufmerksam seinen Erläuterungen (wenn sie nicht zu lang waren). Denn natürlich schenkte hier keiner, was wir Oma oder Bruder Fritz schenken, Pralinen, Krawatten oder exquisiten Schnaps. Selbst Klein-Antiquitäten oder seltene alte Bücher lagen nur wenige auf dem für Geschenke bestimmten Ecktisch, und wenn, dann nur solche, zu denen Menzel besondere Beziehungen hatte. Nicht Geldwert war für die Schenkenden entscheidend, sondern Gefühlswert, das pretium affectionis, wie einer der gelehrten Gäste sagte und diesen Ausdruck aus dem alten Recht auch gleich erklärte: Gegenstände, die an sich wenig oder keinen Wert besitzen, viel aber für die Person, die sie besitzt. Da hatte beispielsweise einer ein verschlissenes Kinderbuch gefunden, dessen Kitschbilder allgemein erfreuten, dessen Besonderheit aber war, daß es dem Knaben Winfried besser als jedes andere Buch gefallen hatte. Einer brachte eine Zeitung von 1950, in der Menzel unter der Goethe-Überschrift »Mir ist nicht bange, daß Deutschland eins werde« Äußerungen Stalins zur deutschen Frage zustimmend kommentierte. Den größten Lacherfolg aber erzielte ein Foto aus ebendieser Zeit, das ein vergoldeter barocker Rahmen zierte. Das optimistische Lachen, das auf dem Bild der FDJler Menzel (vor Ruine, Transparent und Fahne) vorführte, war nur blöd zu nennen. Und der Professor schlug dann auch in komischem Entsetzen die Hand vor die Augen und sagte, während das Foto herumgereicht wurde: »Das Lächeln der Sieger der Geschichte.«

Das Gelächter war so anhaltend, daß die Chance für ihn bestand, die Pfeife anzurauchen. Schon hatte er sie zwischen den Lippen, das Feuerzeug in der Hand, da sah er Pötsch, der sich zu Elke in die Ecke gedrängt hatte, und schlängelte sich durch die Menge auf die beiden zu. Feuerzeug und Pfeife barg er wieder in der Tasche, um Elkes Hand mit seinen beiden fassen zu können. Ohne ihr Zeit zur Gratulation zu lassen, zog er sie zur Zimmermitte und bat um Ruhe, die schnell eintrat.

Daß jeder, der ihn zu feiern gekommen sei, ihn freue, sei bekannt (begann er, sich mal nach dieser, mal nach jener Seite verbeugend) und daß jeder einzelne von ihnen etwas Besonderes für ihn bedeute, auch: Nun gäbe es doch aber manchmal auch innerhalb des Besonderen noch das Besondere, und solches sei heute für ihn der Besuch dieser jungen Frau, die er den verehrten Anwesenden, da sie mit ihrem Mann, der dort hinten sich verstecke, zum ersten Mal in diesem Hause sei, vorstellen möchte. Das Besondere an dieser Frau sei nun nicht, wie seine alten Freunde sicher gleich vermuten würden, ihre Jugend und Schönheit, beides sei auch sonst noch reichlich hier in diesem Kreis vertreten; auch daß das Paar einen für ihn neuen Lebensbereich verkörpere, den der jungen Intelligenz des platten Landes nämlich, veranlasse ihn zu dieser Sonder-Vorstellung nicht. Es sei vielmehr die Tatsache, daß er genau in dem Jahr, in dem er nach Arbeit von einem Jahrzehnt sein Buch über Max Schwedenow ...

An dieser Stelle stöhnte einer der Herren in gespielter Verzweiflung laut auf, was alle zum Lachen, den Jubilar aber nicht aus der Fassung brachte. Er lachte erst mit, drohte dann, wie man

Kindern droht, dem Herrn mit dem Finger, begann den unterbrochenen Satz noch einmal, unterbrach sich dann aber selbst, um dem Störenfried, den er mit Fritz anredete, zuzurufen: dieses sei sein Geburtstag und da könne er jeden mit Schwedenow langweilen, so lange er wolle – was dann wieder mehr Heiterkeit hervorrief, als der Scherz eigentlich hergab.

Es sei also vielmehr die Tatsache (fuhr er dann fort, indem er Elke freundschaftlich den Arm auf die Schulter legte), daß diese junge Frau sowohl aus einem Dorf im Beeskow-Storkowischen komme, das Schwedenow heiße, als auch selbst eine geborene Schwedenow sei. Er habe also, kurz gesagt, die Freude, eine Ur-Ur-Ur-Enkelin des Historikers und Dichters in seinem Hause begrüßen zu können, was er hiermit tue.

In den Beifall hinein versuchte Elke zu protestieren, aber Menzel legte ihr mit süßer Verschwörermiene einen Finger auf die Lippen und verschaffte sich dann noch einmal Gehör: Er habe vergessen, den heutigen Namen der Dichter-Nachkommin zu nennen. Denn unvorstellbarerweise habe sie es fertiggebracht, ihren bedeutenden Namen der Liebe zu opfern. Er an ihrer Stelle würde es nicht gekonnt haben, selbst wenn ein Mann, wie er selbst einer sei, gekommen wäre. Sie heiße also heute Frau Pötsch, und ihren Mann würde er, wenn er, was aber nicht möglich sei, von sich absehen könnte, als den besten Schwedenow-Kenner unserer Tage bezeichnen, was er hier nur erwähne,

um sagen zu können: Nun wisse man, wie wissenschaftliche Leistung entstünde: durch Liebe.

Diesen Beifall konnte Menzel nicht auskosten,
da weitere Gäste kamen, eine selbst Elke vom
Bildschirm her bekannte Schauspielerin erst, die
Kußhände nach allen Seiten warf und dann Menzel
so am Hals hing, daß ihre Füßchen den Boden
nicht mehr berührten, eine ältere ungeschminkte
und ungeschmückte Frau darauf, die krampfhaft
ein Lächeln in ihrem Gesicht festzuhalten versuchte, und dann ein überlanger Jüngling mit Voll-
bart in Jeans und Pullover, der Menzels Kuß so
geschickt auswich, daß dieser ins Leere traf. »Die
erste Frau mit Sohn«, hörte Elke jemanden flüstern.

Der Herr, der vorher so lustig gestöhnt hatte,
wollte von Elke wissen, ob ihre Eltern zu Hause

denn auch einen Hausaltar für den heiligen Schwedenow gehabt hätten, und wollte nicht aufhören zu lachen, als Elke gestand, erst von ihrem Mann von dieser Berühmtheit gehört zu haben. Eine beleibte Dame, die sich als Frau Soundsoskaja aus Moskau vorstellte und Elke in eine atemberaubend süße Duftwolke hüllte, vertraute ihr an, daß es der Minister war, mit dem sie eben gesprochen hatte. Eine sehr dekolletierte Blondine, die auf einem jugendlich-schlanken Körper das Gesicht einer alten Frau trug, bat Elke mit schelmischem Lächeln, sich vor dem Professor in acht zu nehmen. »Nicht nur Ihres Mädchennamens wegen liegen Sie ganz auf seiner Linie, glauben Sie mir, ich kenne Winfried: genau!«

Elke litt sehr, weil sie auf alles Lustige, das ihr gesagt wurde, keine lustige Antwort wußte. Das einzige, was sie fertigbrachte, war, beifälliges Gelächter etwas zu variieren. Da ein Gespräch dadurch nicht zustande kam, hielt niemand es lange bei ihr aus, und sie konnte sich wieder in ihre Ecke begeben, wo ihr Mann schon stand, doch nicht allein. Ein langer, hagerer Mensch mit krummem Rücken unterhielt ihn mit Geschichten über den Professor, den er stets als den Chef oder auch den Fürst bezeichnete. Als Elke den Namen Brattke hörte, den sie aus Pötschs Berichten kannte, mußte sie gleich nach seinen Füßen blicken und war enttäuscht, sie nicht in Filz gehüllt zu sehen. Auch Kette und Lesebrille fehlten. Nur der Pullover hing ein Spann breit unter dem Jackett hervor, und von der Leibeigenschaft war wieder die Rede, in die Elkes Mann sich freiwillig begeben wollte.

Es waren die ersten nicht-lustigen Töne, die Elke an diesem Abend hörte. Sie klangen bitter und waren wohl dazu bestimmt zu warnen – was in Elke für Brattke Sympathie und für die Zukunft Hoffnung weckte.

»Sie raten also ab?«

»Vergeblich, wie ich sehe«, antwortete Brattke und wies auf Elkes Mann, der ihm mit überlegenem Lächeln seit zehn Minuten schon versicherte, daß nichts mehr ihm das Freudenmeer, in dem er schwamm, trüben könnte, seitdem Menzel ihm zugeflüstert hatte, daß die Stelle ihm nun ganz sicher sei und Dr. Albin bald die Bewerbungsunterlagen brauche.

Selbst an Wohnmöglichkeiten hatte Menzel schon gedacht. Eine Frau Unverloren, die zweimal in der Woche zu Frau Spießbauchs Unterstützung kam, und bei Festen in der Küche half, wollte gern aufs Land und war vielleicht bereit, mit Pötschs zu tauschen.

»Vielleicht siehst du dich nach ihr um«, sagte Pötsch zu Elke, und Elke sagte nicht: Vielleicht fragst du erst einmal, ob ich nach Berlin überhaupt ziehen will!, sondern sie schwieg und wandte sich, wie alle anderen auch, dem Professor zu, der in die Hände klatschte und zu Tische bat.

Die lange Tafel erstreckte sich von einem der großen Zimmer zum andern. Menzel saß auf blumengeschmücktem Stuhl an der einen Stirnseite, an

106

der anderen mußte, was mit Rührung registriert wurde, seine Mutter sitzen, eine weißhaarige Greisin, die sich erst zierte und später Pötsch, der neben ihr, am Ende der Längsseite saß, mit Geschichten aus Winnies Kindheit unterhielt, deren eine sie mehrmals erzählte, um später mit ihr auch noch die ganze Tischgesellschaft zum Jubeln zu bringen.

Die Geschichte spielte zu der Zeit, als Winfried noch klein war, so klein, daß er nicht auf den Tisch gucken konnte, was besonders schlimm war an Sonntagen, wenn viele Onkel und Tanten und zwei Omas kamen und laut redend am Kaffeetisch saßen und er allein und klein neben dem Tisch stand (Geschwister hatte er nicht) und dabei immer verzweifelter wurde und die Tränen ihm über die blassen Backen rannen, bis er schließlich einen Stuhl erkletterte, mit dem Fäustchen auf den Tisch schlug und losschrie: Nun bin ich aber mal dran mit Reden!, und wenn es dann still wurde und Papa sagte: So, Winnie, nun bist du dran!, dann stand er mit hochrotem Kopf und schluckte und schluckte und wußte kein Wort zu sagen, man will es heute nicht glauben, aber er brachte wirklich kein Wort heraus, keine Silbe, bis dann alle lachten, und er einen solchen Verzweiflungsausbruch kriegte, daß er ins Bett gebracht werden mußte. »Und nun ist er schon 50«, schloß sie ihre Erzählung, die man sich, um sie ganz genießen zu können, in tiefstem Sächsisch vorstellen muß, »und wenn ich noch länger rede und andere Geschichten erzähle, denn ich weiß noch viele und nur diese eine hat er mir genehmigt, dann wird er gleich wieder auf den Tisch hauen und losschreien. Ihr seht das nicht, aber ich sehe es an seinen Augen, die kriegen schon ihren bösen Schimmer, und deshalb mache ich nun Schluß. Auch wird das Essen ja kalt.«

Letzteres stimmte nun freilich nicht, weil erst die verschiedenen Vorspeisen dran waren, die sowieso kalt serviert und gegessen wurden, mit Ausnahme der Schildkrötensuppe, die aber in den kleinen Täßchen nicht kalt wurde, weil man sie auch während des Redens und Lachens löffeln oder zwischen die zierlich gespitzten Lippen gießen konnte. Aber nicht lange nach dem Beitrag der Mutter und dem anschließenden Wortgeplänkel mit ihrem Sohn über die lange Tafel hin, begann schon die Reihe der Hauptgerichte – mit deren Aufzählung aber den Lesern der Mund nicht wäßrig gemacht werden soll. Es ist besser, dieses Kapitel zu schließen, weil die große Geburtstagsrede zu Menzels Ruhm ein neues verdient. Zum Essen sei nur noch gesagt, daß es zwar so auserlesen war, wie es bei anderen selten oder nie auf den Tisch kommt, daß aber ein Grund, neidisch zu sein, nicht besteht, weil man von den Köstlichkeiten wenig hat, wenn man ständig Heiterkeit zeigen muß und der Nachbar, den man nicht kennt, auf gepflegte Tischunterhaltung Wert legt. Am wenigsten übrigens hatte Pötsch was davon, weil sein Geschenk oder auch Nicht-Geschenk, der Aufsatz, noch immer in der Reisetasche steckte, die in der Garderobe stand, und er auf eine Gelegenheit wartete, unauffällig verschwinden und den Hefter auf den Gabentisch legen zu können.

Elke dagegen genoß es sehr, etwas zu essen, was sie nicht gekocht hatte. Welche der servierenden Frauen Unverloren hieß, hatte sie bald heraus. Es war eine schmächtige Blondine, die jedesmal errötete, wenn jemand sie ansprach. Elke kam, wie jedem, der sie kennenlernte, sofort der Gedanke, daß die besser Frau Verloren hätte heißen sollen.

11. Kapitel

Laudatio

Mit amüsanter Frechheit leitete Professor Menzel seinen Hauptauftritt ein. Als der Minister, an sein Glas klopfend, ums Wort bat, schnitt er ihm dieses ab mit der Begründung: Fritz würde nur sagen, was am Morgen schon in der Zeitung gestanden habe, er aber, der intimste Kenner dieses 50jährigen Lebens, könnte noch manche Zusatzinformation liefern.

Selbstverständlich hinderte ihn niemand daran, und so hielt sich also Professor Menzel seine Geburtstagsgratulationsrede selbst, mit gutem Grund: denn bei Reden auf Jubilare und auf Tote kommt es nur aufs Loben an, und das konnte, wenn es ihn betraf, niemand so gut wie er. Alle Gäste waren sich darüber einig, daß sein seit langem berühmter Charme nicht mit ihm gealtert war. Willig ließen sie sich von ihm bezaubern, lachten, wenn er An-

109

laß dazu gab, wagten Zwischenrufe (die er, als sei er auf sie vorbereitet, aufgriff und variierte), schmunzelten über geglückte Wendungen und wurden einmal auch ernst, als er eines teuren Toten gedachte. Mit kundiger, wie improvisiert wirkender Rede regierte er Gesichter und Gemüter.

Trotz grauem Haar und Korpulenz war Jugendliches, fast Jungenhaftes an ihm. Seine in Hörsälen und Studios erprobte Stimme war klar und laut, die präzise Artikulation angenehm gefärbt von Resten mitteldeutschen Dialekts, der Satzbau kunstvoll und periodenreich, die Wortwahl umfassend, nach unten manchmal bis zum (witzig verwendeten) ordinären Schimpfwort reichend. Lässig, mit offenem Jackett, stand er an seinem Ehrenplatz, den Hemdknopf am fleischigen Hals geöffnet, den Krawattenknoten gelöst. Eine Hand barg er in der Hosentasche, mit der anderen, die die Pfeife hielt, vollführte er sparsame Gesten. Jede Pointe, die er ausschweifend oder zügig vorbereitete, kündigte er mit einem verschmitzten Lächeln an, das zu sagen schien: Ich amüsiere mich schon im voraus über das, was kommt, euch aber wird sofort Gelächter schütteln, wartet nur! Aber wenn es dann kam, das Gelächter, lachte er nicht mit, nahm es würdig entgegen wie Applaus, nicht etwa verlegen, sondern wie einer, der Beifall verdient und das Recht hat, ihn zu genießen.

Die Offenheit, mit der er seine Freude am Beifall zeigte, war von rührender Kindlichkeit, aber von genau kalkulierter. Die Freundlichkeit, die ihm seine Zuhörer erwiesen, gab er durch seine Freude an ihr zurück, bescheinigte ihnen also dadurch richtiges Reagieren. Er, der gute Redner, gab zu erkennen, daß sie gute Zuhörer waren. Sie waren seiner wert. Bescheidenheit wäre ihnen gegenüber nicht nur Heuchelei, sondern auch Unhöflichkeit gewesen. Da sie von seinen Qualitäten wußten und sie schätzten, durfte er doch nicht vorgeben, nicht von ihnen zu wissen, sie nicht zu schätzen. Sich in dieser Hinsicht dumm zu stellen, hätte bedeutet, die Gäste für dumm zu halten.

Die gleichen Gründe verpflichteten ihn auch dazu, sich sehr zu loben. Was ihn aus der Masse der Wissenschaftler heraushob, waren seine Erfolge. Wer ihn verehrte, tat es ihretwegen und hatte also das Recht, in einer der heiteren Stunde angemessenen Form, darüber zu hören. Daß dabei nicht der Ton der Morgenzeitung, sondern der (immer schmeichelhafte) des Wir-sind-ja-unter-Uns

vorherrschend war, versteht sich von selbst. Geheimnisse auszuplaudern scheute er sich nicht – wenn sie mehr als zehn Jahre zurücklagen. An berühmten Namen war kein Mangel, und der Professor verstand, sie zu seinem Ruhme zu verwenden, indem er zum Beispiel Walter Ulbricht (dessen Sprechweise meisterhaft nachahmend) bei der Verleihung des Nationalpreises alle Funktionen aufzählen ließ, die Menzel damals gehabt hatte, und das waren viele, die von Hochschul- und Staatskommissions-Posten bis zu denen des Chefredakteurs zweier Zeitschriften reichten. Der anschließende Schlußjubel galt sowohl Menzels ruhmreicher Vergangenheit als auch seinem rhetorischen Talent. Ein bißchen beklatschten die Leute auch sich selbst; denn durch den Kunstgriff, während der Rede mal diesen direkt anzusprechen, mal jenen an einen längst vergangenen Vorfall zu erinnern, hatte er allen das Gefühl gegeben, in seine Laudatio mit einbezogen zu sein. Da er sein Buch natürlich nicht mit Schweigen übergangen und Schwedenow-Zitate oft genug benutzt hatte, war auch Pötsch mehrmals angesprochen worden. Erst hatte es ihn erschreckt, dann hatte er gelacht, genickt, und schließlich hatte er einmal mit einem kurzen Schwedenow-Wort entgegnen können. Von diesem Augenblick an hatte die Unsicherheit ihn verlassen. Er fühlte sich nicht mehr als Fremder. Als Menzel geendet hatte, konnte er sich mit größter Selbstverständlichkeit erheben und unverkrampft hinausgehen, um seinen Aufsatz aus der

Garderobe in das vordere Zimmer zu befördern. Sogar ein Wort der Anerkennung für Frau Spießbauch hatte er parat, das allerdings Wirkung nicht hervorrief.

Natürlich kam Fritz, der Minister, später doch noch zu Wort. Er sagte nichts von dem, was gedruckt zu lesen war, sondern erinnerte an Spaßiges aus 30 Jahren Bekanntschaft, aber er hatte es, wie jeder andere Redner, der nach ihm kam (und das waren nicht wenige), schwer, das von Menzel bestimmte Niveau halbwegs zu halten, was aber eigentlich keinem gelang. Daß sie es merkten und zugaben (»Du, Winfried, könntest es natürlich pointierter erzählen!«) nutzte ihnen wenig, und die nächste Stunde wäre sehr fade geworden, hätte Menzel nicht die teils improvisierten, teils verstohlen vorgelesenen kleinen Ansprachen mit ironischen Bonmots gewürzt.

Obwohl das Fest noch lange dauerte, war sein Höhepunkt mit Aufhebung der Tafel schon überschritten. Die Festgemeinschaft löste sich in Gruppen auf. Im vorderen Zimmer konnte getanzt werden. Die Drei-Mann-Kapelle (von Menzel mit den Worten: »Altmodisch, wie man mit 50 zu sein sich schon erlauben darf«, eingeführt) durfte nur Tanzmusik der zwanziger bis fünfziger Jahre spielen. Elke, die gern und gut tanzte, ging aus diesem Zimmer nur heraus, um die Küche zu suchen, wo Frau Unverloren, immer wieder grundlos errötend, ihr erklärte, daß sie, aus einem Dorfe kommend, sich in eines zurücksehnte und ihre Zweizimmerwohnung

113

in der Innenstadt gern tauschen würde gegen eine auf dem Lande, falls es dort möglich wäre, für sich Hühner und für ihr Söhnchen Karnickel zu halten. Elkes ausführliche Beschreibung von Hof und Haus (in der auch der ohne Frau lebende Schwager Fritz vorkam) beantwortete sie mit der Aufforderung zu einer baldigen Wohnungsbesichtigung.

Pötsch war auf der Suche nach der Toilette in das Bibliothekszimmer geraten, hatte sich dort niedergelassen und in den »Verwelkten Frühlingskranz« vertieft. Elke, die ihm die Wohnungsnachricht bringen wollte, fand ihn nicht. Aber Menzel fand ihn und setzte sich zu ihm.

12. Kapitel

Wahre Freundschaft

»Lassen Sie sich bitte nicht stören«, sagte Menzel, »lesen Sie ruhig weiter. Auch ich habe Ruhe jetzt nötig. Nach einem Tag wie diesem (ich rede von ihm schon in der Vergangenheit, weil mein Anteil an ihm geleistet ist), nach solchem Tag also fühle ich mich leer. Was erwartet wurde, habe ich gegeben, jetzt ist nichts mehr da. Der Vorteil dieses Zustandes ist, daß sich Leere gut überblicken läßt. Da man sich weggegeben hat, steht man sich nicht mehr selbst im Wege.

Daß ich Sie hier finden werde, habe ich mir gedacht. Ihretwegen habe ich heute nicht abgeschlossen, was ich sonst immer tue. Nicht nur der Leute wegen, die den Diebstahl von Büchern nicht als solchen betrachten. Ich kann Besoffene in meiner Bibliothek nicht ausstehen. Nennen wir es also Pietät, was mich zum Abschließen veranlaßt. Das da draußen und das hier drinnen sind getrennte Welten. Das Sakrale und das Profane meinetwegen. Und nun sitzen Sie hier, und ich habe das erwartet.

Sie merken nicht einmal, daß das ein Kompliment war. Statt es zu goutieren, sehen Sie mich an, als sei die Bibliothek die Falle und Sie die Maus darin.

Natürlich nehmen Sie an, daß ich zuviel getrunken habe, aber das stimmt nicht. Es war genau die Menge, die nötig war, um die Barrieren abzubauen, die man gegen sich selbst errichtet. Ich habe mir nur Mut zur Innenbeschau angetrunken, aber was ich da sehe, sagte ich schon: Leere.

Ich bin heute 50 geworden, und Sie denken vielleicht über mich, was ich in Ihrem Alter auch über die Fünfzigjährigen gedacht habe, daß sie nämlich richtig erwachsen, also fertig sind, daß sie genau wissen, was sie wollen, keinen Liebeskummer und keine Eitelkeit mehr kennen und womöglich sogar anfangen, weise zu werden. Um zu erkennen, welcher Unsinn das ist, brauchen Sie nur daran zu denken, wie ich mich heute abgestrampelt habe vor den Leuten. Und warum? Nur um den guten Eindruck, den sie von mir haben, nicht zu ramponieren, nur damit sie nicht sagen können: der ist auch nicht mehr, was er mal war. Es ist zum Heulen, aber wahr: Auf diesen Eindruck, den ich mache, bin ich angewiesen, davon lebe ich.

Ist Ihnen nicht aufgefallen, daß die Gedichte, die Sie da in der Hand haben, auf meinen 600 Seiten nicht behandelt, kaum erwähnt werden? Natürlich ist es Ihnen aufgefallen, und Sie haben gedacht: für Poesie hat der Menzel keine Ader, und deshalb nimmt er sie lieber nicht zur Kenntnis. Aber Sie irren, der Grund ist ein anderer: sie sind mir zu heilig, um sie so zu verhackstücken. Ich kenne sie nicht nur besser als alles andere von Schwedenow, ich kenne sie auch länger. Mit dem ›Frühlings-kranz‹ hat es nämlich bei mir angefangen, verflucht lange ist das her. Schlagen Sie nachher, wenn ich Ihnen wieder Ihre Ruhe lasse, das Gedicht ›Mein Heim‹ auf. Was da über die Ulmen gesagt ist, an der Stelle, die mit dem Vers beginnt ›Fröhlich drängt ihr, ihr Starken aus kräftigen Wurzeln‹: das meine ich, so müßte man sein können: so aus sich selbst, nicht aus den andern lebend, so in sich ruhend, unabhängig. Schwedenow selbst konnte das auch nicht, aber er konnte es sagen.

Geschenkt hat mir die Gedichte ein Freund. Einen hatte ich mal, einen einzigen, der diese Bezeichnung verdient. Es war so um die Zeit des Kriegsendes herum, davor, danach. Der hat mich nicht nur auf Schwedenow gebracht, der hatte selbst so was wie Schwedenows Ulmen, tatsächlich, aber Erfolge hatte er keine. Natürlich! könnte man da fast sagen. Der ist überhaupt nichts geworden, jetzt ist er schon tot und mir also wieder nahe. (Dieses

Also werden Sie später mal verstehen.) Wie der eigentlich war, weiß ich bis heute nicht. Ich weiß nur, daß er das Gegenteil von mir war. Wenn das Schlüsselwort zu meinem Charakter Ehrgeiz ist, so das zu seinem vielleicht Liebe (aber ich weiß nicht, zu wem), vielleicht auch Würde. Manchmal erwische ich mich dabei, daß ich mit ihm rede, wenn ich mich im Fernsehen mal wieder zum Clown gemacht habe. Ich war 16 als wir zusammenkamen. Kennen Sie noch das blöde Lied: Wahre Freundschaft soll nicht wanken? So war mir damals zumute.

Später habe ich ihn verloren. Wie das so geht. Der Weg nach oben ist doch so schmal, daß man ihn nur allein gehen kann. Mitnehmen kann man da keinen. Zwar glaubt man zuerst noch, nichts als den Arbeitsplatz und die Gehaltsstufe zu wechseln, aber das erweist sich als Illusion. Denn Freundschaften basieren auf gemeinsamen Interessen, und die fehlen jetzt. Die beruflichen Probleme sind andere, und über Autos und Porzellansammlungen läßt sich schlecht mit einem reden, der angestrengt für einen Kühlschrank spart. Und wie soll man über Fachberühmtheiten klatschen, wenn der eine keine kennt. Hinzu kommt, daß Erfolg die Erfolglosen ehrfürchtig oder neidisch macht. Ist beides nicht der Fall, vermutet der Erfolgreiche es aber, was zum gleichen Ergebnis führt: zur unauffälligen Trennung. Auch ist man inzwischen anderweitig besetzt. Von Leuten, die man früher angestaunt hat, wird man jetzt eingeladen. Das ist ehrenvoll und belastend. Das Geld, das man nach dem Aufstieg reichlich zu haben meinte, bleibt knapp wie zuvor. Da man mit schottischem Whisky bewirtet wird, muß man damit auch bewirten. Wenn bei allen neuen Bekannten Originale hängen, gefallen einem die Drucke, mit denen man bisher seine Wände schmückte, selbst nicht mehr. Aber nicht nur um Geld geht es auch weiterhin, auch Anerkennung will neu errungen sein. War man im Parterre der erste, ist man eine Treppe höher erst einmal der letzte. Freunde und auch Frauen kann man zurücklassen auf den unteren Etagen, nur seinen Ehrgeiz nicht.

Und mit dem zu leben, ist nicht immer einfach. Ich habe kürzlich einen Urlaub in den Bergen verbracht. Das Hotel stand auf einem steilen Hang über einem Talkessel. Ich wohnte im 12. Stock. Manchmal waren die bewaldeten Berge jenseits des Tals weit weg, manchmal zum Greifen nah. Drei Wochen habe ich täglich auf dem Balkon in der Sonne gesessen und keine Minute davon war ohne Angst vor der Tiefe unter mir. Immer versuchte ich, über sie hinweg ins Weite zu sehen, und nie gelang mir das. Blieben aber, was häufig geschah, auf der Straße, die durch das Tal führte, Menschen stehen, um zu dem Prunkbau des Hotels herauf zu sehen, so geschah mit mir folgendes: Ich bildete mir ein, daß die Leute (die keine Streichholzgröße für mich hatten) genau mich ansahen, und fühlte die Verpflichtung, über das Gitter zu steigen und ihnen vorzuführen, wie man über das Tal zu den Bergen hinfliegt. Anklammern mußte ich mich an den Liegestuhl, um der Verlockung nicht nachzugeben.

Aber ich verlaufe mich, verzeihen Sie. Ich habe diese Zwangsvorstellungen als Bild benutzen wollen, aber sie passen nicht, oder nur so: Immer ist mir der Flug geglückt, und nie kam ich da an, wo ich ankommen wollte. Warum meinen Sie, habe ich dieses Buch geschrieben? 600 Seiten, 10 Jahre Arbeit, gut, sagen wir sechs Jahre. Nur darum, weil ich die Flüchtigkeit aller andern Erfolge erkannt habe. Bleibendes stiften nur Bücher.

Stellen Sie sich doch nicht erschreckter als Sie sind. Sie wissen doch längst über mich Bescheid. Vom ersten Tag an behandeln Sie mich doch wie einen Kranken, der Schonung braucht. Und ich bin auch krank, oder besser: wund. Freiwillig habe ich mich an den Felsen Öffentlichkeit schmieden lassen, und der Adler Ehrgeiz hackt mir die Leber aus.

Sehen Sie, so ist das mit mir: kaum bin ich mit der Selbstanalyse fertig, habe ich schon eine Schau daraus gemacht, eine pathetische diesmal. Dabei sollte das alles nur Einleitung sein zu der Frage, die ich Ihnen stellen will, aber dazu gehörte lediglich das über den Freund, an den Sie mich nämlich erinnern. Meine Frage aber ist die, ob Sie nicht mit mir Brüderschaft trinken wollen, eine Schnapsidee, in der Tat, von der man nicht einmal weiß, ob sich neben der Hoffnung nicht auch anderes dahinter verbirgt, zum Beispiel der Versuch einer Inbesitznahme des Fremden, des mir Gegensätzlichen in Ihnen, dessen was mir fehlt. Genau das war damals auch da, bei dem Freund, meine ich, der übrigens den Schritt vom Balkon gemacht hat, ohne die Vorstellung, fliegen zu können.

Wenn Sie also meinen Antrag als das, was er ist, und nicht als Ehre nehmen, wenn Sie darüber hinaus auch noch vergessen können, daß ich in einigen Wochen Ihr Chef bin, so hole ich jetzt zwei Gläser, damit alles seine Ordnung hat, sonst hilft es nicht. Ich heiße bekanntlich Winfried, und mein Wesen enthüllt sich prächtig, wenn ich dir verrate, daß ich deinen Vornamen nicht weiß.

Ernst?

Namen mit Bedeutung mag ich besonders dann nicht, wenn sie treffend sind. Viel lieber würde ich dich Fred nennen, so hieß der nämlich, der jetzt tot ist. Aber täte ich das, beschuldigtest du mich wieder aristokratischer Allüren. Damit hast du mich gekränkt damals, natürlich weil Wahres dran ist. Aber damals fing das schon an, das Gefühl, mit dir Brüderschaft trinken zu müssen.«

Das also sagte Menzel, ohne Pausen einzulegen, nachts in der Bibliothek. Pötsch sagte, allen Mut zusammennehmend: »Winfried!« als er mit ihm anstieß.

13. Kapitel

Festfolgen

Schon dämmerte der Morgen, als Pötsch in die S-Bahn stieg, die zum ersten Frühzug Anschluß hatte. Bekannte wollte er nicht treffen. In Königs Wuster-

hausen schlich er deshalb nach vorn, setzte sich in einen Nichtraucherwagen und schloß die Augen. Doch das half ihm nichts. Ein ehemaliger Schüler sah ihn und holte ihn nach hinten, wo geraucht und Bier getrunken wurde. Die Männer, die sie auf der Hinfahrt begleitet hatten, begleiteten ihn auch zurück. Er hatte genau eine Schicht verfeiert. Zum erstenmal in seinem Leben trank er vor dem Morgenfrühstück Bier. An Schlaf war nicht zu denken. Da Elke nicht an seiner Seite war, mußte er selbst erzählen, zuerst natürlich von ihr, warum sie fehlte, was kompliziert war, da er dabei nicht vermeiden konnte, die Umzugspläne zu berühren. Andeutungen ließ man nicht gelten, er wurde ausgefragt. Einfacher war die Neugier nach den gereichten Getränken zu befriedigen. Er zählte einfach alles auf, was er an Weinen, Bieren, Schnäpsen kannte, denn er war sicher, daß bei Menzel alles, was es gab, verfügbar war.

Vom Bahnhof bis nach Arndtsdorf nahm ihn ein Mopedfahrer mit. Der Fußweg durch den Wald wurde zum feierlichen Festausklang. Die Vögel machten die Musik, für Lichteffekte sorgte die aufgehende Sonne. Mal stand ein Streifen Hochwald als schwarze Säulenreihe vor rotem Hintergrund, mal bekam eine finstere Schonung durch beleuchtete Wipfel ein goldenes Dach, mal lagen Lichtbarrieren überm Weg und ließen, wenn er sie durchbrach, ihm meterlange Schatten wachsen.

Als Bruder Fritz aufstand, war schon der Kaffee fertig. Omama kam, wie immer, erst, als sie die Kinder hörte. Wie jeden Morgen waren alle knurrig. Anders als sonst war nur, daß jeder, der in die Küche kam, nach Elke fragte, und jeder erhielt die Antwort: »Das erkläre ich euch später.«

Wie sollte man am Morgen, wo es jeder eilig hatte, auch erklären, warum Elke nach dem Fest gleich mit Frau Unverloren zu deren Wohnung in die Innenstadt gefahren war? Fritz ließ schon seinen Trecker tuckern, als die Kinder kamen. Mit der Frühstücksstulle in der Hand, rannte die Kleine, die nach Arndtsdorf mußte, zu ihrem Bus. Dann fuhren Vater und Sohn per Rad nach Liepros ab. Zurück blieb eine leicht verstörte Omama, die ohne Elkes Anweisungen nichts mit sich anzufangen wußte. An die Zeiten ihrer Selbstherrschaft im Haus konnte sie sich kaum erinnern.

Abwaschen wollte sie, mußte also Wasser wärmen, jedoch der neue Gasherd war ihr fremd. Das Feuer, das sie im Kohleherd entzündete, wärmte nicht, es qualmte nur. Statt die Drosselklappe, die geschlossen war, zu öffnen, hielt sie den Abzug für verstopft und begann mit intensiver Reinigung des Herds. Sie hob die Eisenplatten ab, entfernte die Kachelverschlüsse vor den Zügen und konnte nach vielen Mühen sogar die klemmende Rußklappe am Fuß des Schornsteins öffnen. Als die Kleine mittags nach Hause kam, war ihre Großmutter hinter Ruß- und Aschewolken kaum zu sehen, das Abwaschwasser aber immer noch kalt.

Pötschs gute Laune verging nicht, als er den Schaden sah. »Elke wird das schon machen«, sagte er, fütterte Mutter und Kind mit Brot und Wurst und legte sich schlafen. Um fünf Uhr ging er mit zwei Fahrrädern los und brachte außer Elke auch Bier mit.

»Nanu, Bier?« fragte Fritz beim Abendbrot.

Es war für ihn bestimmt: unzureichender Ersatz für den Besuch der Kneipe, der, nach des Bruders Willen, ausfallen sollte, weil Wichtiges zu besprechen war. Elke setzte noch den Herd instand, wischte die Küche und wusch ab. Dann begann in der Stube der Familienrat, der bald wie ein Familiendrama aussah.

Omama weinte sofort, als sie begriff, daß Sohn und Schwiegertochter sie verlassen wollten, Elke ein bißchen später erst, ohne Gründe dafür zu nennen. Es waren viele, die man zusammenfassen

123

kann in dem Begriff: vorweggenommener Abschiedsschmerz.

Die Tränen, die da flossen, empfand der Ehemann und Sohn mit Recht als Vorwurf, dem er nicht anders zu begegnen wußte als mit Heftigkeit, worauf, als Antwort, nun auch die Tränen heftiger flossen. Pötsch verstieg sich zu dem Ausruf: die Familie neide ihm den Aufstieg, und schämte sich sofort dafür. Als er schließlich, gänzlich durcheinander, fragte: »Du willst doch mit mir nach Berlin?«, ließ Elke ihn zwar lange warten, sagte auch nicht ja, nickte aber deutlich.

Bruder Fritz trank Bier und blieb als einziger gelassen. Als von der Berliner Tauschpartnerin die Rede war, fragte er: »Die Frau ist ohne Mann? Wie alt?« Da wischte Omama die Tränen ab, fand es entsetzlich, eine Fremde im Haus zu haben, wollte aber doch schon wissen, ob sie kräftig sei.

Als sie dann kam, die Fremde, ohne Mann, mit Kind, am nächsten Sonntag schon, äußerte Omama sich nicht, lief aber bei der Besichtigung immer mit und beobachtete gut.

Neben dem massiven Fritz wirkte Frau Unverloren wie ein Kind. Die Adern, die ihre dünne Gesichtshaut durchscheinen ließ, verschwanden jedesmal, wenn sie errötete. Jemanden anzusehen ließ ihre Schüchternheit nicht zu. Wagte sie Fragen, richtete sie die an Elke. Ob ihr gefiel, was man ihr zeigte, war nicht zu merken, da sie alles und jedes in Hof und Haus mit dem Prädikat: Schön, schön! bedachte. Deutlich wurde nur ihr besonderes Interesse für die Unterbringung von Hühnern und Kaninchen. Zum Erstaunen aller, die sein Phlegma kannten, machte Fritz, die Reparatur von Ställen betreffend, die gewagtesten Versprechungen. Frau Unverlorens dickes Söhnchen, das sich im Laufe einer Stunde mit dem bösen Kettenhund befreundet hatte, ließ er auf seinen Schultern reiten. Mit dem Genossenschafts-LKW fuhr er die beiden dann zur Bahn.

»Es klappt«, sagte er nach seiner Rückkehr zu dem Bruder. »Sobald wir deine Arbeitskammer zur Küche umgebaut haben, zieht sie. Das muß sich bis zum Herbst doch schaffen lassen, meinst du nicht?«

14. Kapitel

Bewerbung

Von der frühen Hitzewelle, die am nächsten Tag begann, ließ Pötsch sich nicht in seiner Arbeit stören. Er füllte Fragebogen aus, schrieb die Bewerbung, schrieb den Lebenslauf und lernte, sich in der Geschichte der Geschichtsschreibung zurechtzufinden. Wer Einhard und Nithard waren, wußte er nun, und wenn ihm im Institut ein Sleidan- oder Johannes-von-Müller-Spezialist begegnet wäre, hätte er schon wissend nicken und über das Leben Kaisers Karl V. und die Geschichte der Schweizer Eidgenossenschaft etwas sagen können.

Aber Spezialisten dieser oder anderer Art begegneten ihm nicht (oder gaben sich als solche nicht zu erkennen), als er, schneller als erwartet, das Institut erneut besuchte. Ein Telegramm von Dr. Albin hatte ihn dorthin gerufen, ohne Gründe dafür anzugeben. Als Frau Seegebrecht, schweißnaß und schlechtgelaunt, ihm die Nachricht brachte, konnte er Enttäuschung nicht verbergen. Er hatte auf ein Glückwunsch-Telegramm gehofft: Gratuliere zur Entdeckung! oder wenigstens: Komm bald, wir müssen über deine Forschung reden! Nun ging aus Albins Telegramm nicht mal hervor, ob Menzel seinen Aufsatz überhaupt gelesen hatte.

Die Temperaturen, die seit Tagen herrschten, pflegte die Postbotin mit denen eines Backofens zu vergleichen. Wie gut das Bild gewählt war, merkte Pötsch erst in der Stadt. Hier waren auch das Straßenpflaster und die Häuserwände Wärmequellen, und kein Luftzug wehte. Im Institutsgebäude war es zwar etwas kühler, doch plagte Pötsch dort ein Geruch, den er nicht definieren konnte. Erst als Frau Dr. Eggenfels ihre feuchte Hand in seine legte, wußte er, wonach es roch: nach Schweiß.

Auf einem langen Flur begegnete er ihr, als er nach Albins Zimmer suchte. Er wollte schnell mit flüchtigem Gruß an ihr vorbei, wurde aber festgehalten und klebte nun an ihr für einige Minuten, in denen er erfuhr, daß der massige Körper, der da vor ihm stand, ein Herz barg, das, durch eine schwere Jugendzeit geschädigt, die Hitze nicht vertrug, trotz alledem jedoch für jeden schlug, der Sorgen hatte, also auch für ihn. »Wenn Sie Rat brauchen, Kollege Pötsch«, sagte sie und drückte ihm noch einmal fest die Hand, die sie bisher nicht losgelassen hatte, »sind Sie der erste nicht, der ihn bei mir auch findet.«

Pötsch dankte für das Angebot, verschmähte es jedoch sogleich, da er nicht nach dem Weg zu Albins Zimmer fragte, sondern weiter durch die Gänge irrte, unruhiger noch als zuvor. Wieso war er ein Mensch, der Sorgen hatte?

Die ersten Worte, die er Albin sagen wollte, hatte er im Kopf natürlich schon parat. Das, worauf er hoffte, ein Gespräch mit Menzel über seinen Aufsatz nämlich, wollte er verschweigen und so tun, als glaubte er, daß man ihn der Bewerbung wegen hergerufen hätte. Doch als er Albins Zimmer endlich fand und, nach einer Pause, die er brauchte, um das Haar zu kämmen, auch betrat, war vorläufig nur ein Gruß von ihm zu hören, weil Albin, der mit vier Kollegen (darunter Brattke) Wichtiges beriet, sich von ihm, nach einem Blick zur Uhr, korrekt und kühl Geduld erbat und ihn auf einen Stuhl verwies, wo er zu warten hatte.

Albin erläuterte einen Schwerpunktplan für die Forschung der kommenden fünf Jahre, der sehr schnell entwickelt werden mußte, und Pötsch war sich nicht klar darüber, ob von ihm Interesse für diese Feuerwehraktion (wie Albin das immer wieder nannte) erwartet wurde, oder nicht. Einerseits war er noch nicht befugt dazu, Dienstliches zu hören, andererseits war es unmöglich, wegzuhören, wenn von der Arbeit die Rede war, um die er sich bewarb.

Aus diesem Zwiespalt befreite Brattke ihn. Filzschuhe trug er bei Hitze nicht. Er hatte Badesandalen an den bloßen Füßen, die knallende Geräusche machten, als er den Beratungstisch verließ und sich zu Pötsch setzte, um mit ihm zu flüstern.

»Sie sollten genau hinhören«, sagte er, als hätte er bemerkt, was Pötsch bewegte, »damit Sie wissen, was Sie hier erwartet, als Zu- nicht wie es fälschlich heißt: als Mitarbeiter des Feudalherrn Menzel, der natürlich außer Haus weilt und seinen Fronvogt walten läßt, wenn Sinnloses zu tun ist.«

Pötsch war Brattkes Benehmen äußerst peinlich. Er wagte nicht zu lächeln, nicht zurückzuflüstern, er wagte auch nicht, Albin anzusehen, der eine Weile weitersprach, dann aber eine Redepause so lange ausdehnte, daß sie wie ein Vorwurf wirken mußte. Doch sprach er den nicht aus, wartete nur, bis Brattke merkte, daß die Stille ihm galt, und redete, als Brattke grinsend nickte, in seinem einwandfreien Hochdeutsch weiter, bis Telefongebrumm ihn unterbrach. Er nahm den Hörer ab, sagte: »Jawohl, Winfried«, und kündigte den Anwesenden eine Pause an.

Drei Männer gingen, Brattke blieb bei Pötsch sitzen und flüsterte mit ihm, natürlich Ketzerisches über seinen Chef, der nicht wie jene promovierte Null, die dort am anderen Ende des Raumes telefonierte, sich gern mit gesichtslosen Leuten umgab, weil die sich besser leiten ließen, sondern der mit ausdrucksstarken Charakteren seinen Fürstenhof beleben wollte. Von klugen Untergebenen ließ

Menzel sich lieber schmeicheln als von dummen, und Scharfsinn, der in seiner Umgebung glänzte, verstärkte seinen eignen Glanz. Rebellen durften bei ihm ständig irgendwelche Ketten sprengen wollen, und dem Hofnarren Brattke wurden lose Worte nicht verübelt; denn auch wer von unten schimpfte, erkannte seine Höhe an. »Nur in die Quere kommen darf ihm keiner. Verstehen Sie, Herr Pötsch? An diesem heiligen Ort wird nur zu Seinem Ruhm gearbeitet, nicht am eignen.«

Die Art, in der Brattke über Menzel redete, gefiel Pötsch nicht. Sie war einseitig, gehässig und hatte den schlechten Geschmack von Blasphemie, die immer zwanghafte Bindung an den Gott verrät, über den sie lästert. Pötsch wollte sich Verehrung nicht zerstören lassen, und weil er in die Menzels die für dessen Stellvertreter gleich mit einschloß, mußte er Brattke später, auf dem Flur, auch widersprechen. Als nämlich Dr. Albin, den Telefonhörer am Ohr, die Sprechmuschel mit der Hand bedeckend, gesagt hatte: »Herr Professor Menzel läßt Sie fragen, Kollege Pötsch, ob Sie heute abend 18³⁰ Uhr zu ihm nach Hause kommen könnten?« und Brattke behauptete, Albin lasse nach: ein Ton von Schadenfreude habe in seiner sonst immer so neutralen Stimme mitgeschwungen, da hatte Pötsch nichts Derartiges gehört und fühlte sich verpflichtet, Albin zu verteidigen.

»Nicht etwa, daß ich Ihnen Angst machen will«, sagte Brattke. »Sicher haben Sie recht: Albin war korrekt wie sonst, und aus mir spricht lediglich die trübe Erfahrung, daß der Chef nur den in seinen Keller bestellt, dem er das Genick oder wenigstens das Rückgrat brechen will.«

Nach der Bewerbung hatte Albin nicht gefragt. Pötsch fiel sie erst ein, als er den Ausgang schon gefunden hatte. Er wagte sich noch einmal in das Labyrinth zurück und gab, um Albin nicht zu stören, die Papiere bei einer Sekretärin ab.

15. Kapitel

Warnung

Während Pötsch in der Imbißstube am Bahnhof sein Abendbrot verzehrte (das aus zwei Käsebrötchen und einer Tüte Milch bestand) und sich dann mit der S-Bahn auf den Weg zur Waldsiedlung machte, dachte er natürlich an nichts anderes als an das Geburtstagsgeschenk für den Professor, an seinen Aufsatz »Suche nach einem Grab«. Seine Gedanken galten flüchtig der Weiterarbeit daran (mit dem Versuch stilvergleichender Methoden diesmal), ausführlicher aber, wie verständlich ist, der Frage, wie Menzel auf diese Arbeit reagieren würde. Ihm fielen etwa 20 mögliche Reaktionen ein. Die, die dann kam, war nicht dabei.

Durch die Sprechanlage ließ er sich nicht mehr irritieren. Während er klingelte, dachte er sich eine Kurzfassung des Wunsches, den Aufsatz zur Grundlage seiner Dissertation zu machen, aus. Als der Summton kam, bedrückte ihn die Sorge, das Du nicht selbstverständlich genug herausbringen zu können.

Frau Dr. Menzel gegenüber war er locker wie noch nie. Sie war dabei, die alten Blütenstände der Frührosen zu entfernen, und er war so geschickt, sie nach dem Grund dafür zu fragen, den er kannte. Sie sprachen ein paar Minuten über Gartenarbeit, über Hunde und das Wetter, dann über Elke, die dabei war, seine Arbeitskammer zur Küche für Frau Unverloren umzubauen, und die Pötsch versprach zu grüßen. Der Bernhardiner kam und ließ sich streicheln, nach ihm kam Frau Spießbauch, grimmig und unnahbar. Sie begleitete Pötsch in den Orkus. Der Kaffee stand bereit. Länger als beim erstenmal verrührte der Professor schweigend Milch und Zucker. Doch das fiel Pötsch erst auf, als alles schon vorbei war.

Menzels Bemühen, gefaßt zu wirken, war erfolgreich, seine Stimme ruhig. Er kam sofort zur Sache, also zur Verdammung des Aufsatzes, die er nach bewährtem Muster mit einer Disqualifizierung der Form begann. »Dein Stil ist leider miserabel«, waren seine ersten Worte, denen sehr viele über dieses Thema folgten. Mit den Tempi käme Pötsch oft durcheinander, beim Gebrauch des Konjunktivs ginge es fast immer schief, substantivierte Adjektive benutzte er zu häufig, und nur als krankhaft konnte der Professor, mit dem entsprechenden Gesichtsausdruck (dem des Kerngesunden nämlich, der Krankheit als Schwäche verachtet), Pötschs Vorliebe für Wörter mit der Endung -ung bezeichnen.

Da Menzel für alle Beanstandungen Beispiele nannte, füllte seine kleine Sprachlehre mehr als die Hälfte der Zeit, die zur Verfügung stand. Dann ging er, Inhaltliches weiterhin meidend, zum methodologischen Teil über, in dem er den Gang der Untersuchung undurchschaubar fand, klare Prämissen vermißte und die negative Ausgangsposition bedauerte.

Obwohl es Pötsch von Minute zu Minute unbehaglicher wurde, war er sehr darum bemüht, sich seine Menzel-Verehrung nicht beschädigen zu lassen. Er hatte eine Idealvorstellung von Reaktion auf Kritik und verwirklichte die so gut wie möglich: Er lauschte mit Interesse, gab manchmal nickend sein Verstehen kund und machte sich Notizen. Er ließ den Kritiker ausreden und redete sich ein, daß hier scharf aber sachlich nur verurteilt wurde, um zu bessern. Auch hoffte er noch immer, daß auf die Formkritik das Lob des Inhalts folgen würde. Doch

war ihm nicht viel Zeit vergönnt, aus diesem Irrtum Trost zu saugen.

»Was ist mit negativer Position gemeint?« fragte er, das Du vermeidend, wurde aber einer Antwort nicht gewürdigt, da der Professor sich sein Konzept nicht durcheinanderbringen ließ. Das sah jetzt vor, Pötschs Arbeit Mangel an Bedeutsamkeit vorzuwerfen, den Begriff der Detailfreudigkeit zu dem der Detailbesessenheit zu steigern, den Ausdruck Kleinkariertheit einzustreuen, von Standpunktlosigkeit zu reden, zu dem Verdikt: zweiter Aufguß des Positivismus! zu kommen, um schließlich mit einem Lob von Pötschs Fleiß zu enden, der leider an eine Sache verschwendet worden wäre, die keinen interessierte.

Unter Positivismus konnte Pötsch sich nicht viel vorstellen. Er wußte aber, daß ein Protest jetzt nötig war, nutzte also die kleine Pause, mit der der Professor den Beginn des nächsten Konzeptabschnitts andeutete, zu der Äußerung: drei Interessenten wüßte er schon, außer Menzel und Pötsch wäre das ein Herr Lepetit, der die Arbeit in Hamburg zu drucken bereit sei – worauf der Professor lachend meinte: oft sei es einfacher, einen Herausgeber als einen Leser zu finden.

Auf eine lustige Bemerkung eine lustige Entgegnung zu finden, wäre Pötsch auch in einem belanglosen Gespräch kaum möglich gewesen, jetzt hinderte ihn vollends daran seine Verstörtheit, die Menzel noch weiter anwachsen ließ durch die Ratschläge, die er wohlwollenden Tons nun gab. Sie betrafen die Thematik von Pötschs Dissertation und gingen alle davon aus, daß Kleinigkeitskrämereien, wie die Suche nach einem Sterbedatum, dafür in Erwägung zu ziehen, unsinnig wäre. »Die Erbuntertänigkeit der Bauern der Mittelmark vor den Reformen im Lichte von Schwedenows historischen Schriften« schien ihm besonders geeignet, aber empfehlenswert fand er auch »Die Quellenlage bei Franz Mehring, unter besonderer Berücksichtigung Max Schwedenows«.

Zu der Aufforderung, sich diese Vorschläge durch den Kopf gehen zu lassen, konnte Pötsch noch wortlos nicken. Als Menzel dann aber so tat, als ob die Audienz schon an ihrem Ende wäre, platzte er, entgegen seiner Gewohnheit unvorbereitet, mit der Frage heraus, ob über den Inhalt des Aufsatzes denn nichts zu sagen wäre.

»Gut«, sagte Menzel scharf und vergaß für einen Augenblick, den Gelassenen zu spielen. »Gut, wenn du willst, ich hätte es dir gern erspart. Um dich zu schonen, mache ich es kurz: Die Arbeit enthält gefährliche Thesen eines Hobby-Historikers, die zu beweisen er nicht fähig ist. Genügt dir das?«

Pötsch sagte weder ja noch nein. Er war zu keiner Reaktion mehr fähig. Menzel dagegen raffte sich zum Abschied noch auf zu einem Scherz: »Der Aufsatz war doch ein Geschenk? Also gehört er mir, und ich kann damit machen, was ich für richtig halte. Das Beste für dich, für mich und die Wissenschaft wird sein, ich stelle ihn in meine Bibliothek und lasse ihn dort stehen – bis zum Jüngsten Tag.«

Nachts wußte Pötsch nicht mehr, wie er ins Bett gekommen war, entsann sich aber aller Sätze Menzels, weil die in seinem Kopf sich endlos wiederholten. Regieren ließ sich dieser Mechanismus nicht; hilflos, wie körperlichem Schmerz, war er ihm ausgeliefert.

16. Kapitel
Briefe

Nur ein rücksichtsloserer Mann, als Pötsch es war, hätte Elkes Tiefschlaf stören können. Sie merkte erst am Morgen, daß etwas sich mit ihm verändert hatte, und war besorgt um ihn. Er aß wenig, war mürrisch, beachtete die Kinder kaum und hatte keine Lust, ihr von der Reise zu erzählen. Anlaß zur Sorge boten aber vor allem seine Augen, die nicht, wie manchmal sonst, gedankenvoll ins Leere starrten, sondern Unruhe zeigten. Nervosität nannte das Elke erst für sich, später entschied sie: es war Angst. Vielleicht die vor seinem öffentlichen Auftritt im Theater, der immer näher rückte?

Am Mittwoch war Pötsch nach Berlin gefahren. Die Nacht zum Donnerstag hatte er wie im Fieber überstanden, in der nächsten gelang es ihm, sich dem Gedankenchaos, das nur Wiederholungen produzierte, zu entziehen und aufzustehen. Er las den Aufsatz noch einmal und fertigte dann erste Briefkonzepte an. Am Freitag war Elke entsetzt von ihrem Mann, der wie ein Magenkranker aussah und wie ein Geisteskranker sich benahm. Er reagierte nicht, wenn man ihn ansprach, redete kein Wort, setzte sich gleich nach der Schule an die Schreibmaschine und nahm nichts zu sich als große Mengen starken Tees. Als Elke am Samstagmorgen aufstand, war er noch immer (oder schon wieder) munter. Am Sonntag war er mittags fertig, aß schweigend, legte sich danach ins Bett und schlief. Elke ging mit den Kindern schwimmen. Als sie zurückkam, überraschte er sie mit der Bitte, sich die Briefe, die er geschrieben hatte, anzusehen.

Da der Umbau seiner Arbeitskammer schon begonnen hatte, saß Pötsch am Abend im Zimmer seines Bruders, der übers Wochenende nach Berlin gefahren war. Es war der größte, kühlste und dunkelste Raum des Hauses, die ehemalige Gute Stube, deren grüner Plüsch den muffigen Geruch von Unbewohntheit nicht verloren hatte. Zum Lesen der Briefe mußte Elke Licht anzünden. Zwei (die noch ohne Anrede waren) begannen mit dem Satz: »Hiermit erlaube ich mir, Ihnen beiliegenden Aufsatz zu eventueller Veröffentlichung zu übersenden«, unterschieden sich aber, wenn auch unwesentlich, in dem folgenden Text, der erst auf die Bedeutung Max von Schwedenows hinwies und dann die unzureichende Forschungslage mit einigen Sätzen umriß. Während aber der eine vom Historiker Schwedenow und seinem Wert für die Geschichtswissenschaft sprach, war im anderen nur vom Lyriker und Romancier die Rede. Beschlossen wurden beide Briefe mit dem gleichen Satz: »Ich bin gewiß, daß die Veröffentlichung meiner Untersuchungen die intensivere Beschäftigung mit diesem Teil des kulturellen Erbes zu fördern geeignet sein wird.«

Adressiert war der erste Brief an die Redaktion der geschichtswissenschaftlichen Zeitschrift in Leipzig, der zweite ging an die Monatsschrift für Literaturgeschichte nach Berlin, der dritte war, wie Pötsch kommentierte, nur für den Notfall bestimmt; er war noch undatiert.

Elke kam der unbehagliche Gedanke, daß sie gerufen worden war, um ihre Meinung zum dritten Brief zu sagen. Doch irrte sie sich. Pötschs Entschlüsse standen fest. Er suchte Rat nur in formalen Fragen, wollte von Elke (die das natürlich noch viel weniger wußte) wissen, ob es für die Korrespondenz mit Redaktionen irgendwelche Regeln gäbe. Ob es, zum Beispiel, nötig war, sich mit Beruf und Alter vorzustellen? Ob sich für namentlich unbekannte Redakteure, von denen man nicht wußte, ob sie Damen oder Herren waren, geschlechtsneutrale Anreden finden ließen? Ob man hochachtungsvoll, sozialistisch oder freundlich grüßte und ob ein Ihr die Unterschrift zu zieren hatte oder nicht?

Elke behielt für sich, daß sie die drei Briefe als Ertrag von tage- und nächtelanger Arbeit ziemlich kläglich fand, und redete tapfer drauflos, weil sie sehr richtig wußte, daß nicht ihr Rat, sondern ihr Interesse wichtig war. Das Ende von Ernsts Stummheit machte sie so froh, daß sie sogar eine Linie fand, die zu verteidigen sie vorgab: die Natürlichkeit beim Briefeschreiben. Es wurde ein richtiges

Gespräch daraus, in dessen Verlauf sie endlich auch erfuhr, wie es mit ihrem Mann und Menzel stand. Die Schimpfworte, die sie für den Professor fand, sprach sie nicht aus, merkte sie sich aber, weil sie sicher war, daß sie sie noch einmal nötig haben würde. Es war ein Abend, der Elke unvergeßlich blieb, weil sie an ihm zum letztenmal erlebte, daß ihr Mann sich von der Gedankenfixierung auf Schwedenow zu befreien vermochte. Nicht gerade fröhlich, doch mit dem schönen Gefühl, das Seinige getan zu haben, saß er auf dem Sofa und hörte etwas über seine Kinder, bei denen, was Elke Sorgen machte, die Pubertät begann. »Tatsächlich?« fragte er erstaunt und rechnete die viel zu schnell vergangenen Jahre nach – bis ihm Passagen aus dem »Emil« in den Sinn kamen, in denen von nichtgenossenem Vaterglück die Rede ist.

Die Antworten auf beide Briefe ließen nicht lange auf sich warten. Noch ehe die Hitzewelle vorbei war, sandten die Zeitschriften freundliche Schreiben, die Pötsch die Ferien verdarben. Die Redaktion der Literaturzeitschrift teilte Pötsch mit, daß sein Artikel zwecks Begutachtung an den für dieses Gebiet zuständigen Fachmann, Herrn Prof. Menzel, gesandt, von diesem aber aus einleuchtenden Gründen für eine Veröffentlichung ungeeignet befunden worden war, und die Historiker urteilten ähnlich. Nur fehlte ihrem Brief der Hinweis auf Menzel, was verständlich war, weil der Professor dort offiziell dem Redaktions-Beirat angehörte.

Einen Tag später war der dritte Brief, datiert und mit Beilage versehen, als eingeschriebene Eilbotensendung zu Herrn Lepetit unterwegs.

17. Kapitel

Der gute Stern

An einem Sonntag lief die Schwedenow-Kampagne an. Für den ersten Abend der Reihe »Vergessene Dichter – neu entdeckt« hatte man Plakate drucken lassen. Zwei Wochen lang blickten von den Litfaßsäulen die großen Augen des Vergessenen streng herab. In fetter Schrift wurde über den Leiter des Abends, in kleinerer über den Referenten informiert. Als die hauptstädtischen Zeitungen die Veranstaltung ankündigten und der Professor sich in Radio-Interviews nach Sinn und Inhalt des Vortrags fragen ließ, war das kleine Theater schon ausverkauft.

Am Tag zuvor, am Samstag also, war ein Auto unterwegs nach Schwedenow. Die trocknen Wege boten wenig Schwierigkeiten. Sandige Stellen ließen sich umfahren. Die Hitze, die seit Wochen herrschte, hatte selbst die Pfützen der Torfseeniederung trocknen lassen. Die Luft war unbewegt, so daß die Staubfahne, die das Auto aufwirbelte, sich erst nach Minuten wieder senkte.

Pötschs Kinder spielten auf der Straße. Sie mußten der buntgeschmückten Dame, die am Steuer saß, eine Auskunft geben.

»Wo wohnt Herr Pötsch?«

»Welcher? Fritz oder Ernst?«

»Ernst.«

»Sie wohnen beide hier.«

Die hochhackigen Sandalen der Dame waren für das Kopfsteinpflaster des Hofes schlecht geeignet. Stolpernd und rutschend, vom wütend bellenden Hofhund irritiert, erreichte sie die Haustür, wo sie ihrer üppigen Gestalt durch Geradheit wieder Würde geben konnte. So gut gelang ihr das, daß Elke sich, als sie ihr gegenüberstand, wie eingeschrumpft vorkam.

Der Name der Dame sagte Elke nichts, und da sie ihre Unkenntnis nicht verbarg, bekam sie, an der Tür noch, gleich zu hören, wo Frau Dr. Eggenfels ihrem Mann begegnet war. Zweimal, im Institut, und wie sie einander gleich so gut verstanden hatten, daß sie es als Versäumnis hätte betrachten müssen, ihn nicht aufzusuchen, wenn sie nun schon einmal in dieser Gegend war, in dieser wunderschönen Gegend, die einer Mitarbeiterin von Professor Menzel natürlich schon vertraut war, auch ohne sie gesehen zu haben, weil alles und jedes hier nach Schwedenow doch roch.

»Ernst, komm mal her, du kriegst Besuch«, rief Elke, um die Sache abzukürzen, denn die Begeisterung, die aus den Damenaugen strahlte, war ihr peinlich, und Arbeit wartete genug auf sie. Leider schien Ernst das Rufen nicht zu hören und gab der Besucherin so Zeit, sich auch noch für die Küche zu begeistern, die durch ihre Größe und durch ihren roten Steinfußboden Erinnerungen weckte an eine Jugend, die nicht leicht war. »Doch wer hat's schon leicht?«

Da Elke klar war, daß nun die Einzelheiten dazu folgen würden, nahm sie die Damenhand, die (wohl um Begeisterung auch körperlich zu vermitteln) feucht auf ihrem Arm lag, und zog an ihr Frau Eggenfels, die solche Vertraulichkeit sehr rührte, ins Wohnzimmer, wo Omama von einer Fernseh-kindersendung so gepackt war, daß sie nur böse knurrte, als die Frau Doktor sie begrüßen wollte.

Da Wochenende war, an dem Fritz neuerdings stets verreiste, arbeitete Pötsch in dessen Zimmer. Elke holte ihn. Der unangemeldete Besuch riß ihn so plötzlich aus dem vorigen Jahrhundert in die Gegenwart, daß er sich in ihr nicht gleich zurecht-fand. Er war so sehr verwirrt, daß er als Antwort auf die Worte, die den langen Händedruck beglei-teten, nur immer nickte, statt zu sagen: Ja, er freute sich nicht weniger als die Besucherin.

Das tat er zwar keineswegs, doch war für Elke trotzdem die Situation verändert, als sie ihn Hand in Hand mit so viel imposanter Weiblichkeit ver-legen stehen sah. Sie ging nun nicht an ihre Arbeit, sie setzte sich und unterstützte ihren Mann in dem Bestreben, herauszubringen, was die Dame eigent-lich wollte.

Schwedenow-Altertümer wollte sie besichtigen, konnte denken, wer an der Menge der benutzten Wörter deren Bedeutung maß. Denn von dem Dichter und dessen Heimat sprach sie unaufhör-

lich, und wenn sie dieses Thema kurzzeitig mal
verließ, war immer nur von ihrer Begegnung mit
Pötsch im Flur des Instituts die Rede und von dem,
was sie damals ihm versprach. Pötsch verriet nicht,
ob er davon noch etwas wußte, und auch den sanf-
ten Ton, in den sie bei dieser Gelegenheit fiel, er-
widerte er nicht, obwohl er sich sonst um Freundlichkeit bemühte.

»Gibt's denn keinen Kaffee heute?« fragte
Omama, als ihre Sendung endete, und nahm die
Besucherin erst jetzt zur Kenntnis. Sie gefiel ihr
nicht, das war ihr anzusehen. Die Dame war ge-
schminkt und rauchte. Mehr Grund für ihre Ab-
neigung brauchte Omama nicht. Um die zu zeigen,
wurde sie zum schlechtgelaunten Kind. Wer denn
das sei, wollte sie von Elke wissen, und ob der Kuchen reichte für so viele Leute. Sie behauptete, daß
es schlecht röche und ließ dabei offen, was sie
meinte: den Zigarettenrauch, den Schweiß oder das
Parfüm. Erst als Frau Eggenfels zu allen Unarten
gute Miene machte, wandte sie sich an sie selbst.

»Und warum stören Sie meinen Sohn bei seiner
Arbeit?«

»Um ihm einen guten Rat zu geben.«

»Hopfen und Malz ist bei dem verloren.«

Während Frau Eggenfels, gleichbleibend freundlich und geduldig, sich erklären ließ, warum der
Sohn (der finsteren Gesichts dabei saß, seiner Mutter aber nicht den Mund zu verbieten wagte) schon
immer seinen eignen Kopf gehabt und Ratschläge
ausgeschlagen hatte, ging Elke, um Kaffee zu ko-

chen, in die Küche. Als sie beim Kuchenschneiden war, kam die Frau Doktor und fragte, ob sie helfen durfte. Sie durfte Sahne schlagen und war nicht ungeschickt dabei. Sie konnte sogar, glaubte man ihr, Kuchen backen und hatte Rezepte im Kopf, die Elke noch nicht kannte und sich gleich notierte. Am besten freilich konnte die Frau Doktor reden, stets emphatisch und von einer Begeisterung erfüllt, von der nie klar wurde, ob sie der Sache galt, von der sie sprach, oder ihr selbst, die so geschickt und schnell mit jedem über alles reden konnte – auch mit Elke über ihren Mann, von dem sie sehr, so sehr begeistert war, daß ihre Augen sich mit Tränen füllten, aber nicht (noch nicht) überliefen und ein vollendetes Make-up zerstörten. Elke war fasziniert von diesen großen runden Augen, die (braun übrigens) das insgesamt zu dick geratene Gesicht beherrschten und nur dazusein schienen, um die Gefühle, die die Frau immerzu bewegten, auszudrücken. Erstaunlich war die Schnelligkeit, mit der die Seelenwogen das Auge füllten und, wenn sie verebbten, austrocknen konnten, so daß Gesprächspartner den Übergang von Rührung zu beispielsweise Bosheit an ihren Blicken schneller merken konnten als an ihren Worten.

Seiner Energie und Zielstrebigkeit wegen, und auch wegen seines Fleißes wurde der abwesende Hausherr in der Küche also sehr gelobt – einleitungsweise, wie sich weiterhin ergab. Denn auf das große Lob folgten sogleich die großen, großen Sorgen, die Kollegin Eggenfels sich machte. Durch

143

Umstände bedingt, vielleicht verstärkt durch eigne Neigung, war der Bewunderte in seiner Arbeit isoliert geblieben, ein Einzelgänger, fast ein Eigenbrödler, der Gefahr lief, lebensfremd zu werden, lebensfern auf jeden Fall und damit, weil Vergleiche fehlten, zur Selbstgerechtigkeit geneigt. Sehr gequält wurde sie, die Sahneschlägerin, durch diese Sorgen, die so leicht behoben werden konnten durch ein gutes Kollektiv, das bekanntlich klüger war, als jedes noch so kluge Einzelwesen, das sich im stillen Kämmerlein um Wissenschaft bemüht.

Wenn Frau Eggenfels verschlissene Begriffe wie Kollektiv und stilles Kämmerlein benutzte, wurden sie von Gefühlen so veredelt, daß sie jede Klischeehaftigkeit verloren und wie neu und unbenutzt erschienen. Elke war auch weit davon entfernt, Anstoß daran zu nehmen. In sprachlichem Bereich war sie nicht sonderlich empfindlich. Sie war auch nicht belustigt, sie war befremdet darüber, daß jemand eigne Gefühle für so bedeutsam hielt, daß er sie ungezwungen offerierte, und sie war empört: Wie konnte diese Frau sich anmaßen, solchen Gefühlsaufwand mit ihrem, Elkes, Mann zu treiben?

»Warum erzählen Sie mir das?«

»Weil ich der Meinung bin: Ihr Mann gehört an unser Institut.«

»War das nicht klar?«

»Ja«, sagte Frau Eggenfels kurz und schlicht, aber so schwebenden, abschlußlosen Tons, daß es wie ein »Ja, aber . . .« klang. In ihren nun trocknen Augen stand die Angst, und ihre Stimme stockte, als sie »Ich fürchte . . .« sagte, den Schneebesen beiseite legte und Elke nah und näher kam.

»Sie müssen mir helfen«, flüsterte sie. »Um Ihres Mannes willen!«

Sie drückte Elke auf einen Stuhl, nahm sich selbst einen und setzte sich Elke gegenüber, so nah, daß beider Knie sich berührten. Sehr leise und sehr hastig redete sie nun, ganz Frau zu Frau, auf Elke ein und schwitzte dabei sehr. Nach einem Lob für Pötschs Bescheidenheit, war viel von Furcht und Angst die Rede. Natürlich fürchtete sie nicht den Mann: sie fürchtete für ihn, sie hatte Angst um ihn. Die schon erwähnte Selbstgerechtigkeit war es, die ihn gefährden könnte, seine Uneinsichtigkeit, Halsstarrigkeit. »Verstehen Sie?«

Elke verstand nicht und bekam flüsternd nun zu hören, wie ernst die Lage war, so ernst, daß sie Frau Eggenfels das Herz abdrückte. Professor Menzel hatte doch ein Buch geschrieben, und Elkes Mann hatte zum gleichen Gegenstand eine Abhandlung verfaßt, die Frau Eggenfels zwar nicht gelesen hatte, von der sie aber wußte, daß der Professor sie als einen Gegenentwurf zu seinem eigenen Werk empfand. Das war ja des Eigenbrödlers gutes Recht und nur in wissenschaftlichem Disput zu klären. Besser geeignet war kein Ort dafür als Menzels Institut mit seinem Gremium von Fachleuten, mit seiner Abgeschlossenheit. »Familienstreit«, flüsterte Frau Eggenfels, »trägt man doch in der Stube aus und geht damit nicht auf die Straße.«

»Die Zeitschriften meinen Sie? Die drucken es ja nicht.«

»Vergessen!« sagte die Besucherin und bewies, daß ihre Miene auch Großmut zeigen konnte. »Vergessen auch die Drohung Ihres Mannes, jenseits der Grenzen zu publizieren, obgleich . . .«

Wie der Satz weitergehen sollte, erfuhr Elke leider nie, weil die Frau Doktor in ihm unterbrochen wurde und später nicht mehr dazu kam, ihn fortzusetzen. Omama war so respektlos, mit Geschrei nach Kaffee den schönen Fluß der Rede aufzuhalten. Fernseh-Förster Kiekbusch sollte nämlich bald erscheinen und die Mahlzeit dann schon fertig sein.

»Ja, ja, sofort«, rief Elke, löste sich von der Wissenschaftlerin und wurde sehr geschäftig. Mit Frau Doktors Hilfe saßen sie wenige Minuten später schon am Kaffeetisch, Omama nervös und ruppig, Pötsch verdrießlich, Frau Eggenfels begeistert von der gemütlichen Familienrunde, die fröhlich zu unterhalten sie für ihre Pflicht ansah. Elke war nicht so ruhig, wie sie wirkte. Um ihren Ärger zu bekämpfen, nahm sie sich vor, über Frau Eggenfels innerlich zu lachen. Sie kannte jetzt das Thema der Besucherin und konnte die Anstrengungen komisch finden, die nötig waren, um den zerrissenen Faden neu zu knüpfen.

So dachte sie und täuschte sich dabei. Sie konnte sich nicht amüsieren, obwohl die Anstrengungen der Rednerin beträchtlich waren. Sie konnte nicht einmal die schauspielerischen Leistungen bewundern, die ihr geboten wurden. Der ganze Auftritt erbitterte sie mehr und mehr. Als die geschickte Gesprächsleiterin von den auf das Geschirr gemalten Blumen über die des Gartens und des Friedhofs erst zu Schwedenows unentdecktes Grab und von diesem, wie von ungefähr, auf den bevorstehenden Vortragsabend gekommen war und tiefe Rührung über diese Krönung jahrelanger Studien zeigte, kürzte Elke die Sache ab, indem sie sagte: »Ich glaube, Frau Eggenfels will dich davor warnen, morgen mehr zu sagen, als in Menzels Buch nachzulesen ist.«

Erstaunlicherweise nahm Frau Eggenfels diesen Eingriff gar nicht übel. Sie lächelte Elke vielmehr dankbar zu und sagte: »Nicht warnen, sondern raten will ich.«

Nun wollte Pötsch sich auch mal äußern, kam aber vorläufig nicht dazu, da er noch einmal hören mußte, er sei der erste nicht, der gut von ihr beraten worden wäre. Manche jungen Leute, die erst hatten mit dem Kopf die Wand berennen wollen, waren später gekommen, um ihr zu danken, für ihre Um- und Voraussicht und für ihre Geduld. Einer von diesen hatte dann auch den Spitznamen gefunden, unter dem sie bekannt sei, im Institut und darüber hinaus, ein übertriebener Name gewiß, sie mußte herzlich darüber lachen, als sie ihn zum erstenmal hörte, aber gut gemeint war er, das war nicht zu leugnen. Der Spitzname aber hieß: Guter Stern des Instituts.

147

»Noch fünf Minuten«, sagte Omama und meinte den Beginn ihrer Sendung damit.

»Sie sind in Professor Menzels Auftrag hier?« fragte Pötsch, als er endlich zu Wort kam.

Nun konnten Frau Eggenfels' Augen auch noch zeigen, daß sie Würde auszustrahlen verstanden. »Wer will es wagen, lieber Kollege Pötsch, zwischen Auftrag und innerer Berufung zu unterscheiden, wenn Pflicht und Neigung zusammenfallen.«

Um ihre Worte nachklingen zu lassen, schwieg sie ein bißchen, aber die Kunstpause wurde durch Elke zerstört: »Ich finde, daß man nur sagen kann, was man denkt.«

»Es geht um die Zukunft Ihres Mannes!« sagte Frau Eggenfels beschwörend.

»Ach was!« antwortete Elke, schenkte den letzten Kaffee ein und verzichtete darauf, der Frau zu erklären, was ihre ablehnende Geste bedeuten sollte. »Was sagst du dazu?« fragte sie dann, blieb aber ohne Antwort. Denn Pötsch hörte gar nicht mehr hin. Gedankenvoll starrte er ins Leere, stand plötzlich auf, murmelte etwas von Arbeit und Nachschlagen und ging.

Omama schaltete den Fernseher an. Elke begann das Geschirr abzuräumen. Frau Eggenfels half ihr. Als sie in der Küche die Frage stellte, ob der Aufsatz nun wirklich in Hamburg erscheinen sollte, breitete sich nach Elkes Antwort Schmerz über ihre Züge aus. Was Elkes Mann wohl sagen würde, wollte sie wissen, wenn seine Frau das für ihn bestimmte Essen dem feindlichen Nachbarn hinüber brächte, nahm aber Elkes Entgegnung, sie stünde mit allen Nachbarn gut, dann doch nicht zur Kenntnis, wandte sich vielmehr mit der Bemerkung, sie fühle sehr wohl, daß ihre Mission beendet sei, stolz zum Gehen, ging aber doch nicht gleich, weil ihr nötig schien, Pötsch noch einmal die Hand zu drücken.

»Bitte, seien Sie vernünftig morgen«, sagte sie, als Pötsch geholt war. »Gern würde ich Professor Menzel etwas Positives bestellen.«

»Einen Fund habe ich gemacht«, sagte Pötsch, »eine neue Spur entdeckt, über einen Onkel aus Pommern. Bestellen können Sie: Bald werde ich ihn haben, den Beweis.«

Aus großer Tiefe kam der Seufzer, den Frau Dr. Eggenfels ausstieß. Dann setzte sie zu ihrem Schlußwort an. Sie, die es, wie das Ehepaar nun erfuhr, vom elternlosen Kellerkind zur Wissenschaftlerin mit drei nicht unbedeutenden Publikationen gebracht und sich einem stürmereichen Leben mit vielen seelischen Erschütterungen gewachsen gezeigt hatte, drohte hier an der Haustür, wo es um die Zukunft eines begnadeten jungen Wissenschaftlers ging, ihren Gefühlen zu erliegen – was sie nicht nur sagte, sondern auch handgreiflich deutlich machte durch ihre Finger, die angstvoll die Stelle massierten, unter der sie hinter Fleisch und Fett ihr Herz vermutete. Schuld an ihrem gefährlichen Zustand war natürlich Pötschs Selbstgerechtigkeit, die sie zum Abschied, traurigen Blicks, Standhaftigkeit zu nennen sich nicht scheute.

»Welch edle Haltung!« rief sie, »wird hier an eine unedle Sache verschwendet.«

Und dann geschah es: Die Augen liefen ihr über. Doch konnten die Tränen zum Glück viel nicht zerstören, da ein Spitzentüchlein zur Hand war.

Am Abend erwähnte Pötsch den Besuch mit keinem Wort, und als Elke über das Küchengespräch zu reden begann, fiel ihm dazu nur ein, daß die Frau mit Madame de Staël Ähnlichkeit hatte, von der er viel wußte, da Schwedenow ihr begegnet war. Das bunte Tuch, mit dem sie ihr Schwarzhaar umwunden hatte, erinnerte ihn an den Turban, den die Staël auf Gerards berühmtem Gemälde trägt. Bei beiden Frauen belebten braune Augen ein unschönes Gesicht. Beider Stärke war Redegewandtheit. Der Unterschied war nur der, daß der einen alles geistvoll geriet, der anderen aber sentimental.

»Viel mehr interessiert mich«, sagte Elke, »ob du ihren Ratschlägen morgen folgen willst.«

»Mein Referat ist doch schon seit Tagen fertig.«

»Was du auch tust«, sagte Elke, »mir ist es recht, das solltest du wissen. Ich lege weder Wert darauf, einen heldischen Mann zu haben noch einen promovierten.«

18. Kapitel

Gewitter

Am nächsten Tag, am Sonntag, sahen sich Professor Menzel und Ernst Pötsch zum letztenmal. Die Bekanntschaft, die unter anderen Umständen eine

Freundschaft hätte werden können, ging zu Ende, mit wenig Worten, aber es blitzte und donnerte dabei. »Wie im Theater war es gestern im Theater«, sagte Brattke, als man montags im Institut den Fall besprach. »Eine Tragödie nur für Eingeweihte, mit unsichtbarer Leiche. Der Fürst kann wieder fröhlich sein: Die Laus, die er sich in den Pelz gesetzt hat, ist er los. Die arme Laus!«

Es war der Tag, an dem die große Hitzewelle mit Schwüle ihren Abschied nahm. Die Sonne, die man seit Wochen schon nicht mehr sehen mochte, war verschleiert. Südwind brachte schon am Morgen feuchte Wärme. Selbst die Kinder hatten schlecht geschlafen. Lediglich Elke war am Morgen richtig munter. »Man gewöhnt sich an alles«, bekam jeder Jammernde von ihr zu hören.

Fritz hatte sich ihrer Bitte, Bruder und Schwägerin nach Berlin zu fahren, nicht verschließen können. Er war seit kurzem Besitzer eines alten Autos, mit dem er seine Wochenendfahrten unternahm. Auch diesmal war er Freitagabend weggefahren, war aber Sonntagmittag wieder da. Zwei Karten hatte er sich für den Vortrag seines Bruders vor Wochen schon bestellt und auf Elkes erstaunte Frage »Zwei?« nur dumm gegrinst. In seinem Auto war es zugig und sehr laut. Man schwitzte in ihm nicht und konnte sich nur schreiend verständigen.

Im Theater war Fritz aufgeregter als sein Bruder. Auf der Suche nach der Person, die er als seine Begleiterin angekündigt hatte, rannte er umher und vergaß dabei, seinem Bruder für den Vortrag

Glück zu wünschen. Der merkte nichts davon. Er hatte andere Probleme, erst einmal das, ins Theater hineinzukommen. Ich bin der Referent! zu sagen, brachte er nicht fertig, als er am Eingang zurückgewiesen wurde, weil er keine Karte hatte. Elke mußte die Sache klären, wobei ihn peinlich berührte, daß sie nicht flüsterte, sondern mit normaler Stimme sprach, so daß die Umstehenden es hörten und ihn ansahen. Elke erkundigte sich auch nach dem Bühneneingang, ließ ihn dann aber, seinem Wunsch entsprechend, allein. Die Begegnung mit Menzel, die er sich frostig vorstellte, wollte er sie nicht miterleben lassen.

Doch er hatte sich in dem Professor wieder mal getäuscht. Wohl hatte er Souveränität erwartet, nicht jedoch Herzlichkeit. Die aber verstand Menzel in seinen Ton zu legen, als er ihn den Theaterleuten vorstellte. Er fragte Pötsch nach dem Grad seiner Aufregung, bot ihm Kognak an und ließ auch die Erkundigung nach der angeblichen Ur-Ur-Ur-Enkelin des Gefeierten nicht aus.

Der Alkohol stieg Pötsch sofort zu Kopf. Die Hitze, die in dem kleinen Raum hinter der Bühne noch größer war als auf der Straße, trocknete ihm den Mund aus, er war schweißnaß. Mit zitternden Beinen lehnte er an der Wand. Dem Gespräch über Beleuchtung, Betätigung des Vorhangs und Bildprojektion konnte er nicht folgen. Manchmal nickte er zu dem, was der Professor vorschlug. Dann gingen die Theaterleute. Einige Minuten war er mit dem Professor allein.

»Wie dir zumute ist, brauchst du mir nicht zu sagen«, sagte Menzel, während er damit beschäftigt war, mit einem Taschentuch sich das Gesicht zu trocknen. »In einer Hinsicht nämlich geht es mir wie dir: Ich muß, wie du, dem Publikum jetzt Einigkeit mit meinem Widersacher demonstrieren (was von der Ehe bis zu Staatsgeschäften übrigens alltäglich ist). Ansonsten aber bist natürlich du viel schlechter dran. Du mußt, nachdem die Untergrundkämpfe für dich verloren sind, entscheiden, ob du mich öffentlich angreifst oder nicht. Solche Entscheidung fällt nicht leicht. Fragtest du mich um Rat in dieser Sache, ich würde sagen: laß es sein, du kannst doch nur verlieren. Die Dummköpfe dort im Saal begreifen sowieso nicht, was du willst. Wir beide aber sind in solchem Fall geschiedene Leute. Natürlich hast du eine große Wut auf mich. Ich war sehr hart zu dir, das mußte sein. Böse war es nicht gemeint, nur ernst, sehr ernst. Dir geht's um ein Phantom, das du, wie ich dich kenne, Wahrheit nennst. Mir geht es um viel mehr: um Sein oder Nichtsein in Wissenschaft und Nachwelt. Gesichert habe ich mir in der Geschichte der Geschichtsschreibung einen Ehrenplatz, indem ich Schwedenow auf einen setzte. Ich habe graues Haar gekriegt dabei, und nun kommst du aus deinem Dorf und machst mir (ich glaube dir ja: in aller Unschuld) das kaputt. Dir muß doch klar sein, daß mir jedes Mittel recht ist, dich daran zu hindern.«

Die letzten Worte hatte der Professor schon sehr schnell gesprochen, denn man winkte ihnen. Der

Vorhang war schon hoch. Sie mußten auf die Bühne.

Pötschs Bewußtsein funktionierte in den ersten Minuten seines Auftritts nur unvollkommen. Zwar spürte er das Zittern seiner Hände, merkte, daß das Hemd ihm naß am Rücken klebte, doch von Menzels Einleitung hörte er kein Wort und auch an seine eignen Anfangssätze konnte er sich später nicht erinnern. Daß er sehr laut las, war das erste, was er merkte. Daß er auch richtig las und nicht zu schnell, ließ ihn so ruhig werden, daß er es wagte, manchmal aufzusehen. Aus dem Dunkeln traten jetzt Gesichter hervor. Er sah Taschentücher, die schweißige Stirnen wischten. Die Aufmerksamkeit, die ihm die Leute durch Ruhe zeigten, tat ihm gut.

Das Ablesen seines Referats ging so mechanisch vor sich, daß er dabei an anderes denken konnte – und zwar so klar und scharf, wie es ihm danach nie mehr vergönnt war. Warum der Professor seine Forschungen zu unterdrücken versucht hatte, konnte er plötzlich verstehen: Menzels Buch war nicht nur im Faktischen vor seinem Erscheinen überholt, wenn Pötschs Behauptungen stimmten, auch in Deutung und Wertung litt es sehr, wenn der Mythos von einem vorbildlichen Heldenleben zerstört war.

Für Pötsch überraschend war, daß dieser Gedanke, von dem er annahm, er hätte ihn noch nie gedacht, in ihm schon angelegt gewesen sein mußte; denn im Referat, das er monoton herunter-

154

las, war seine Wirkung schon zu spüren. Es war vom Wissen um die Lüge an Schwedenows Lebensende stark bestimmt und stellte manche Ansicht Menzels, ohne ihn zu nennen, schon in Frage. Zu einer Widerlegung Menzels war das vielleicht schon der erste Schritt. Pötsch dachte aber nicht daran, den zweiten zu wagen. Widerlegen wollte er Menzel nicht, er wollte ihn überzeugen. Dazu fehlte ihm aber immer noch der letzte Beweis. Von dem begann der Redner nun zu träumen.

Erst als Menzels Stimme ihn in die Wirklichkeit zurückrief, wußte er, daß sein Referat beendet, daß er erlöst war. Natürlich kam Menzel nicht umhin, ihm noch einen Hieb zu versetzen, den er aber, fair wie er war, mit keinem Namen versah. Außer Pötsch wußten daher nur Eingeweihte, wer mit den

Kleinigkeitskrämern und Detailfetischisten gemeint war, die, objektiv gesehen, Schwedenow in die Fänge der Reaktion trieben – was aber, nach Menzel, ein aussichtsloses Beginnen war, da, dank seines »Märkischen Jakobiners«, der progressive Historiker und Dichter bald fester Bestandteil sozialistischer Kulturtradition sein würde.

Auf solch ernste Töne auch noch Heiterkeit folgen zu lassen, war Menzel seinem Ruf schuldig, und das Publikum dankte es ihm schon bei der geistreichen Anspielung auf die vielen Liter vergossenen Schweißes mit Gelächter. Für seinen Schlußspaß aber kam dem Professor der Himmel zu Hilfe. Während er in kühner Verbindung der Hoffnung auf Schwedenows Weiterleben und dem Ableben der Hitzewelle Ausdruck gab, begann draußen ein heftiges, lautes Gewitter. Der Jubel, der nun losbrach, war so, als hätte man dem Professor die Abkühlung zu verdanken. Menzel versäumte nicht, bei der Entgegennahme des Beifalls traute Eintracht mit dem Referenten zu bekunden.

Elke stand mit Fritz und dessen Begleiterin an der Garderobe. Die Überraschung, die Pötsch erwartete, hatte sie schon hinter sich. Er sah Frau Unverloren erst, als diese sich errötend an Fritzens Arm hängte und Pötsch der Heimlichkeiten wegen um Verzeihung bat.

Als Pötsch begriffen hatte und mit den Worten: »Ach so, ihr beide . . .« zu einer Art Gratulation ansetzen wollte, trat Professor Menzel in den Kreis und bat, freundschaftlich den Arm um Pötschs

Schultern legend, um die Erlaubnis, den Star des Abends für einige Minuten entführen zu dürfen, da die Bildreporter nach ihm schrien.

Nun war das zwar eine Übertreibung, doch gab es tatsächlich einen Fotografen, den Menzel tags zuvor gebeten hatte, die Popularisierung Schwedenows zu unterstützen. Der hatte am Professor schon seine Schuldigkeit getan, jetzt waren Meister und Schüler dran, mal auf der Bühne, mal davor, ernst, heiter, stehend, in freundschaftliche Gespräche mit Zuhörern vertieft. Zwei Filme wurden voll dabei. Die Bilder bekam Pötsch nie zu sehen.

Einer der Zuhörer, mit denen Pötsch freundschaftliche Gespräche zu mimen hatte, war der lange Brattke, der aber nicht nur mimte, sondern wirklich sprach, allerdings so mürrischen Gesichts, daß der Fotograf ihn rügen mußte.

»Wäre ich gewissenlos«, sagte Brattke und beugte sich dabei zu Pötsch herunter, »könnte ich stolz darauf sein, an dem Erziehungsprozeß mitgewirkt zu haben, dessen Ergebnisse Sie uns heute demonstrierten. Da ich es nicht bin, muß ich zwei Lehren aus dem Vorgang ziehen. Die erste heißt: Man soll Kritik nicht einem lehren, der sie nicht verschweigen kann, die zweite: Moralischer Sieg und Selbstmord sind fast Synonyme. Zum Abschied kann ich nur noch sagen, daß mir zwar lieber wäre, wir brauchten keinen voneinander zu nehmen, daß ich Ihnen aber rate, über ihn froh zu sein. Ein nützlicher Schreibsklave, wie zum Beispiel Sleidan einer war, wären Sie doch nie geworden. Als Karl V. den Sleidan (geistreich wie Chefs manchmal sind) seinen Leiblügner nannte, da widersprach der nicht. Ich fürchte, er war stolz darauf.«

Professor Menzel machte sich die Mühe solch langer Abschiedsrede nicht, dafür war er aber nicht mürrisch, sondern freundlich, als er sagte: »Verzeih, daß ich dir die Sachfehler verschweige, von denen dein Aufsatz wimmelt. Könnte es doch sein, ich brauchte sie einmal – für einen Verriß, zu dem eine Publizierung mich natürlich zwänge. Wahre Freundschaft wäre es, wenn du das verstehen könntest. Gute Heimfahrt in dein Dorf und: Lebewohl!«

Elke wartete draußen auf der Straße. Das Gewitter hatte sich verzogen. Die Luft war feucht und kühl. Wasser spritzte auf, als Fritz den Wagen vorfuhr. Elke vermutete, daß ihrem Mann ein Schnaps jetzt gut bekommen würde, aber Pötsch wollte nach Hause. Auch Frau Unverloren war sehr müde.

Als Fritz vor ihrer Haustür hielt, schaltete er den Motor aus. »Wir beide«, sagte er, in feierliches Hochdeutsch fallend, und sah dabei, um klarzumachen, wen er außer sich noch meinte, zu Frau Unverloren hinüber, die ihren Arm in seinen gelegt hatte und verlegen ihre Wange an seinem Jakkenärmel rieb, »wir beide haben euch noch etwas mitzuteilen.«

»Wir gratulieren!« sagte Elke.

»Danke, aber da ist noch was«, sagte Fritz. »Das mit dem Küchenumbau, das ist nicht mehr nötig.

Den Trecker, wißt ihr, hab ich satt. Ich steige auf ein Taxi um. Ich meine: Ich ziehe zu ihr nach Berlin. Trifft euch das sehr?«

»Nein, gar nicht«, sagte Elke, und ihr Mann hatte mal wieder ein Zitat zur Hand. Es war aus Schwedenows »Verwelktem Frühlingskranz« und hieß: »Du lieber Gott, wie sich doch alles himmlisch ineinander fügt.« Dann sagte er, von Grußworten abgesehen, bis zum nächsten Morgen gar nichts mehr, erst, weil das Auto zu sehr lärmte, dann weil Elke, kaum lag sie, auch schon eingeschlafen war.

Erst am Morgen nach dem Frühstück, als er noch bei Elke in der Küche blieb, wurde klar, womit er sich die Nacht hindurch beschäftigt hatte. Auf Elkes Frage, was nun mit ihm würde, antwortete er nämlich so: »Die Sachfehler, von denen der Professor spricht, muß ich so schnell wie möglich finden. Notwendige Korrekturen werde ich Lepetit vorsichtshalber telegraphieren. Sofort muß ich damit beginnen, alle Jahreszahlen und Ereignisse noch einmal zu überprüfen. Auch bei Verwandtschaftsverhältnissen, die sehr verwirrend sind, können Fehler unterlaufen sein. Da der alte von Massow, der Obrist a. D., viermal geheiratet hat und alle seine Frauen Geschwister hatten, war Schwedenow mit Onkeln und Tanten reich gesegnet. Die auseinanderzuhalten ist vor allem deshalb so einfach nicht, weil Tanten mütterlicherseits Onkel väterlicherseits heirateten (also auch Massow hießen), und weil zu allem Unglück die zweite Frau, Maxens

159

Mutter, nicht nur eine verehelichte, sondern auch eine geborene von Massow war – eine Schwester des preußischen Justizministers übrigens, dessen Rolle in Schwedenows Leben noch unbekannt, aber wahrscheinlich wichtig ist. Von einem Onkel, der zum Jura-Studium rät, ist in den frühen Tagebüchern schon die Rede. Der Stolper Onkel wird er dort genannt, wahrscheinlich nach der Stadt in Pommern. Kommt der spätere Justizminister auch dort her, müßte man nach dessen Korrespondenz mal suchen. Vielleicht im preußischen Staatsarchiv?«

So lang und noch viel länger fiel am Morgen in der Küche Pötschs Antwort auf Elkes Frage nach seiner Zukunft aus. Am Abend versuchte sie wieder davon zu reden – und erfuhr nur neue Einzelheiten über den Minister. Da gab sie es auf. Sie wußte nun, daß ihr Mann in endloser Wiederholung nur das eine denken konnte: Ich muß es ihm beweisen, ich muß es ihm beweisen.

19. Kapitel

Friedhofsruhe

Wenige Tage später beförderte Frau Seegebrecht einen Brief, der aus der Lüneburger Heide kam, nach Schwedenow. Er hatte folgenden Wortlaut:

Sehr geehrter Herr Pötsch!

Daß ich den Empfang Ihres Aufsatzes »Suche nach einem Grab« erst heute bestätige, kann ich mit der Arbeitsüberlastung, die die Herausgabe eines umfangreichen Werkes (20 Bogen) mit sich bringt, entschuldigen. Daß ich Sie aber über den Charakter ebendiesen Werkes so lange im unklaren ließ, ist mit nichts zu entschuldigen. Des ersten Versäumnisses wegen muß ich Sie um Verzeihung bitten, das zweite aber will ich mit diesem Brief gutmachen.

Das Sammelwerk »Restauration in Deutschland« verdankt seine Entstehung der Überzeugung, daß heutige Politik in Europa getragen sein muß von den Säulen: Sicherheit, Stabilität und Frieden. Auf der Suche nach Traditionen eines solchen politischen Humanismus boten sich mir die Kräfte an, die das Schicksal Deutschlands in der längsten Friedenszeit des 19. Jahrhunderts bestimmten: in der sogenannten Restaurations-Periode, also der Zeit nach den von der Französischen Revolution und Napoleon heraufbeschworenen fast 30jährigen Kriegswirren. Daß die Lage Europas damals in mehr als einer Hinsicht der unsrigen nach Hitlers Kriegen glich, liegt auf der Hand, daß aber damals wie heute ein gesunder Konservativismus die einzige Rettung war und ist, wagen nur wenige einzugestehen. Damals gab es diese Kräfte, die sich über die Revolution und den in ihrem Gefolge auftretenden Nationalismus hinweg die Idee vom alten Europa bewahrt hatten. Sie lassen sich zusammenfassen in einem Namen: Metternich. Sein Wappen sollte heute das unsere sein. Ihn von dem Schmutz, den anderthalb Jahrhunderte Geschichtsschreibung auf ihn geworfen haben, zu befreien, ist ein Anliegen meines Buches. Das Biedermeier, Zeit nostalgischer Sehnsucht heute, Zeit der Ruhe und Geborgenheit, war sein Werk. Seine Größe wurde uns bisher verstellt durch preußisch-deutschen Nationalismus und durch Fortschrittsgläubigkeit. Da Hitlers Krieg das eine, Atomtod und Umweltvergiftung das andere für uns zerstört haben, können wir die Bedeutung dieses wahren Friedensfürsten erst jetzt wieder erkennen.

Soviel zu meinem Buch, nun aber zu Ihrem Aufsatz, dem ich, im voraus sei es gesagt, meinen Respekt nicht verweigere. Nicht nur mit Interesse, mit wachsender Spannung habe ich ihn gelesen und kann aus intimster Zeitkenntnis mit Bestimmtheit sagen: Wenn letzte Beweise Ihnen auch fehlen, gibt es keinen Grund, die Ergebnisse Ihrer Forschung anzuzweifeln. Überall wo in Zukunft Max von Schwedenows Name fällt, wird man, Ihrer Verdienste gedenkend, auf Maximilian von Massow verweisen müssen. Erlauben Sie mir, Ihnen dazu als erster zu gratulieren.

Tatsachen sind es also nicht, die ich an Ihrer Arbeit zu bemängeln habe, es ist Ihre Haltung zu ihnen, die mich stört. Sie lassen sich (Ihre Lage bedenkend möchte ich hinzufügen: zwangsläufig) durch Vorurteile Ihre sonst so scharfen Blicke trüben. Das drückt sich oft nur in der Wortwahl aus (wenn Sie zum Beispiel den inneren Frieden Deutschlands Friedhofsruhe nennen), durchgehend aber in der Interpretation von Fakten. So ist die

Karlsbader Konferenz für Sie »Höhepunkt geistiger Unterdrückung« und leitet »finstere Zeiten« ein. Bester Herr Pötsch, das tut mir weh! Nicht weil Sie anderer Meinung sind als ich, sondern weil Sie damit nur nachbeten, was schwarz-weiße, schwarz-weißrote und rote Historiker Ihnen vorgebetet haben, und weil Sie dabei ganz vergessen, gegen wen das, was Sie »Despotie« nennen, gerichtet war: gegen die nationalistischen Schreihälse nämlich, die, wären sie nicht niedergehalten worden, wirkliche Despoten hätten werden können, weil sie ein Dogma hatten, das jedermann aufzuzwingen ihre Absicht war. So gesehen trugen, so paradox das klingt, die Zensurbeschlüsse von Karlsbad entscheidend dazu bei, die Geistesfreiheit zu erhalten, und ein Schwedenow-Massow, der ihre Bestimmungen in Tat umzusetzen sich bemühte, verriet nicht, wie Sie meinen, erstrebenswerte Ideale: er fand sie erst im Alter und hätte deshalb einen Ehrenplatz in meinem Buch durchaus verdient. Dazu wäre aber eine vorurteilsfreiere Sicht vonnöten, als Sie sie haben – oder besser: haben können.

Ich schicke Ihnen also Ihre verdienstvolle Arbeit mit dem Ausdruck tiefsten Bedauerns anbei zurück, ohne Ihnen etwa vorzuschlagen, sie in dem von mir angedeuteten Sinn zu ändern. Selbst wenn Sie es wollten, könnten Sie es nicht. Dazu sind Sie dem Fortschrittsglauben, den ich nicht teile, aber zu achten mich bemühe, zu sehr verfallen.

Hochachtungsvoll grüßt Sie
Ihr Alfons Lepetit

20. Kapitel

Steine

Im Frühjahr, wenn Sonne die Städter zum erstenmal wieder ins Freie lockt, oder im Herbst, zur
Pilzzeit, kommt es vor, daß der Weg zwischen Liepros und Schwedenow auch von Fremden begangen oder befahren wird. An der Wegkreuzung, von
der sie nicht wissen, daß sie Dreiulmen heißt, wird
dann ihre Aufmerksamkeit erregt von einem Mann,
der sich auf dem nach der Spreeniederung abfallen-
den Hang des bewaldeten Hügels im wurzeldurch-
wachsenen Erdreich zu schaffen macht. Während
die Einheimischen, die den Anblick gewohnt sind,
von ihren Mopeds und Treckern herab nur die
Hand zu flüchtigem Gruß heben, steigen die Fuß-
oder Radwanderer aus Berlin oder Frankfurt neu-
gierig den Hügel hinauf, weil sie sich nicht erklären
können, was da ein Mann im Walde allein zu graben und zu hacken hat. Jedem zweiten fällt ein
Witzwort über Schatzgräberei ein, wenn er auf dem
Erdwall steht, den der schwitzende Mann aufge-
worfen hat, um die Grundmauern eines Hauses
freizulegen, zwischen denen er weitergräbt und sich
dabei durch Zuschauer nicht stören läßt. Stößt sein
Spaten auf Widerstand, legt er ihn beiseite und
scharrt den Stein vorsichtig mit den Händen heraus, Feldsteine schleudert er achtlos in den Wald,
Backsteine aber, auch Teile davon, säubert er behutsam, besieht sie von allen Seiten und schichtet
sie aufeinander. Grußworte erwidert er kurz aber

freundlich, ist, wenn Orientierungshilfen verlangt werden, zu Auskünften bereit, vermeidet jedoch Gespräche, die seine Arbeit aufhalten könnten.

Er habe so etwas Gehetztes, sagen die Leute zum Lieproser Gastwirt, wenn sie sich nach dem Waldgräber erkundigen: in den Bewegungen sowohl als auch in den Augen, die auffallend tief im unrasierten Gesicht lägen. Der Wirt nickt dann verstehend und versichert, daß der Mann, ein früherer Lehrer, jetzt Traktorist, harmlos sei: wohl habe er sich um einen Teil seines Verstandes studiert, der andere Teil aber, den man zum Leben und Arbeiten brauche, sei völlig intakt, und da er eine patente Frau habe, die ihn ans Essen und Trinken erinnere, es ihm auch bringe, wenn er sonnabends und sonntags dort draußen grabe, sei um ihn nicht zu fürchten. Auf die Frage, was der Mann dort mit so viel Aufwand suche, zuckt der Wirt nur die Achseln. Das weiß er so wenig wie seine einheimischen Kunden, die sich schon abgewöhnt haben, darüber zu rätseln.

Nur ein Herr Brattke von ZIHH in Berlin, der in Schwedenow manchmal zu Gast ist, weiß darüber Bescheid und erzählt es Interessenten gern in der Hoffnung, sie erfreuen Pötsch, wenn sie mal bei Dreiulmen vorbeikommen, mit einer sachkundigen Bemerkung, in die sie am besten den Stolper Onkel einflechten, von dem seine gegenwärtigen Forschungen ausgehen.

Julius Eberhard Wilhelm Ernst von Massow hieß der Mann, kam aus dem pommerschen Stolp, wurde in Berlin Justizminister und war, wenn Pötschs Hypothesen stimmten, derjenige von Maxens vielen Onkeln, der in den Tagebüchern vorkommt. In dessen Briefen nun, die Pötsch nach langem Suchen in einem alten Stolper Kreiskalender fand, ist zweimal von einem Neffen Maximilian die Rede, der sich, zum Entsetzen der Familie, aufs Schreiben kapriziert, einsam im Walde lebt und krank ist vor Kummer, weil er eine Bürgerliche, die er haben will, nicht kriegt. Ein Ort wird dabei nicht genannt, dafür aber das die Verwandtschaft amüsierende Gerücht kolportiert: der Liebeskranke habe in seiner ärmlichen Behausung mehrmals den Namen der Verehrten in Ziegelsteine eingeritzt.

Nun fahndet Pötsch nach einem dieser Steine, die die Identität Max von Schwedenows mit Maximilian von Massow unzweifelhaft beweisen würden. Daß die Hoffnung auf Erfolg bei Dreiulmen nur gering ist, weiß er. Liegen dort doch nur die beim Abriß verschmähten Steine. Die Mehrzahl wurde, wie man weiß, im Dorf verbaut. Die Häuser, Scheunen, Ställe, in denen sie stecken könnten, kennt Pötsch schon. Im Winter, wenn Grabarbeiten nicht mehr möglich sind, wird er sie inspizieren. Auch werden immer wieder Ställe, in denen kein Vieh mehr steht, jetzt abgerissen. Wer Pötsch an Wochenenden bei Dreiulmen nicht mehr findet, sollte ihn auf der Müllkippe zwischen Liepros und Trebatsch suchen. Dort wird er im Bauschutt wühlen und von Triumphen träumen: In der Hand den Backstein, in den vor 170 Jahren der Name Dorette eingegraben wurde, betritt er Menzels Orkus und sagt: Hier ist er, Herr Professor, der Beweis!

ISBN 3-354-00471-1

© Mitteldeutscher Verlag Halle · Leipzig 1978
6. Auflage
Lizenz-Nr. 444-300/66/89 · 7001
Printed in the German Democratic Republic
Holzstiche: Karl-Georg Hirsch
Einband: Hans-Joachim Petzak
Typografie: Günter Jacobi
Satzherstellung: LVZ-Druckerei »Hermann Dun
Leipzig III/18/138
Druck und Bindearbeiten: Offizin Anderse
Graphischer Großbetrieb, Leipzig III/
Best.-Nr. 638 609 2

00650